Nikolaus Lenz

Quallen, Quatsch und gute Laune

Nikolaus Lenz

QUALLEN, QUATSCH UND GUTE LAUNE

Mit Illustrationen
von Bianca Schaalburg

Ravensburger Buchverlag

Als Ravensburger Taschenbuch
Band 54343
erschienen 2009
Erstmals in den Ravensburger
Taschenbüchern erschienen 1997
als RTB 4151.
2005 erschienen unter dem Titel
„999 Schülerwitze" als RTB 53094

Einmalige Sonderausgabe

Umschlagillustration: Dirk Lieb
unter Verwendung einer Illustration
von Ralf Butschkow
Innenillustrationen: Bianca Schaalburg

Printed in Germany

1 2 3 4 5 13 12 11 10 09

ISBN 978-3-473-54343-4

www.ravensburger.de

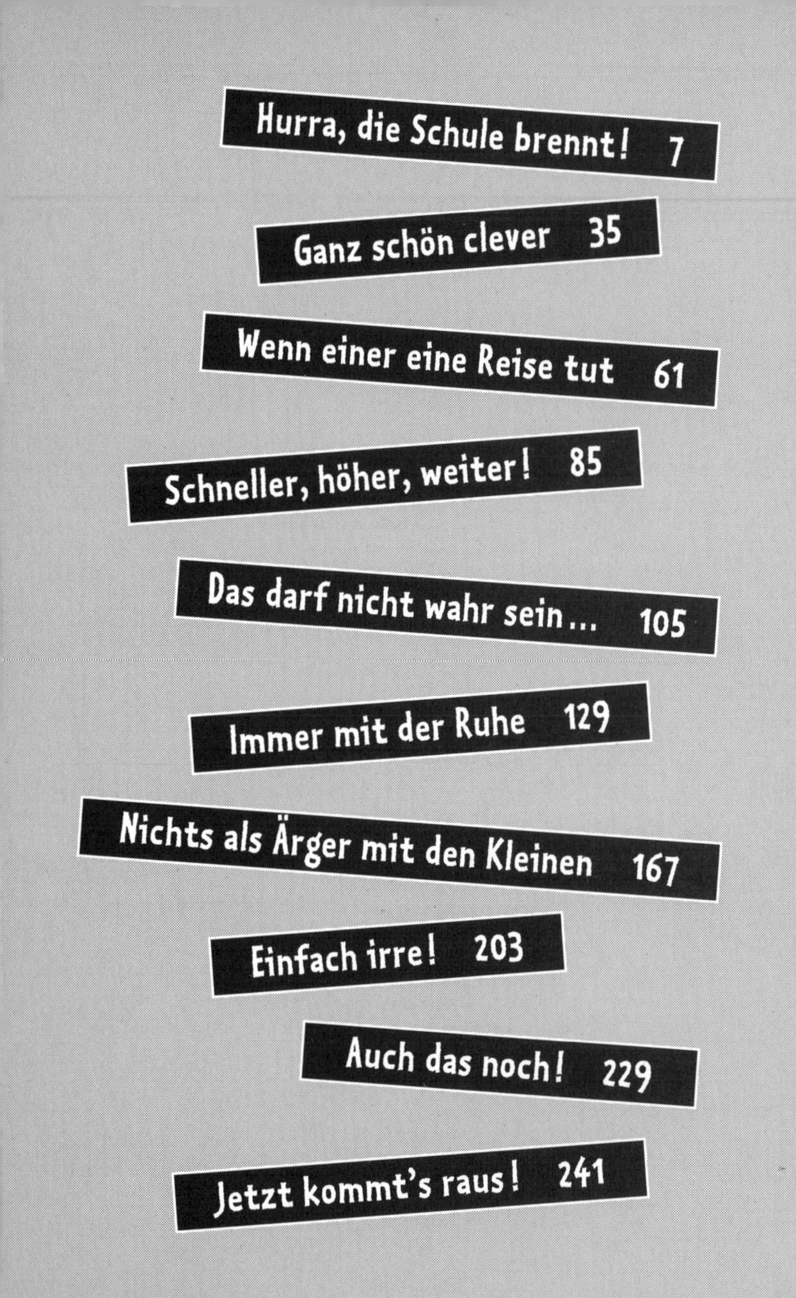

Hurra, die Schule brennt!

Der Lehrer gibt den Schülern im Zeichenunterricht die Aufgabe, eine Wiese zu zeichnen, auf der eine Kuh weidet. Tommi liefert ein leeres Blatt ab. Der Zeichenlehrer wundert sich: „Wo ist denn das Gras?“
„Das hat die Kuh gefressen!“
„Und wo ist die Kuh?“
„Die bleibt doch nicht da, wo kein Gras mehr ist!“

„Stefan, weißt du, wann Friedrich der Große gestorben ist?“
„Ja, aber der ist nicht einfach gestorben, der ist ermordet worden!“
„Woher hast du denn das?“
„Hier in meinem Geschichtsbuch steht es doch unter dem Bild: Friedrich der Große auf dem Totenbett, nach einem Stich von Menzel.“

„Ist deine große Schwester tatsächlich nach Australien ausgewandert?“, erkundigt sich der alte Lehrer bei Kläuschen.
„Das hatte sie eigentlich vor, aber dann ist sie in Amerika gelandet.“
„Ja, ja, Erdkunde war nie ihre Stärke!“

Der kleine Robert muss zur Strafe fünfzigmal schreiben:
Ich soll meine Lehrerin nicht duzen.
Als er die Strafarbeit abgibt, fragt die Lehrerin erstaunt:
„Warum hast du es denn hundertmal geschrieben?“
Der kleine Robert strahlt: „Weil du’s bist, Frau Lehrerin!“

„Lieber Gott“, betet Lena vor dem Schlafengehen,
„mach bitte, dass Amsterdam die Hauptstadt von
Brasilien wird! Ich habe das nämlich heute in der
Erdkundeprobe geschrieben!“

Susi in der Rechenstunde: „Herr Lehrer, jetzt habe ich
die Rechenaufgabe schon achtmal kontrolliert.“
„Gut, Susi“, lobt der Lehrer, „was hast du denn heraus-
bekommen?“
„Wollen Sie alle acht Ergebnisse wissen?“

Die Lehrerin legt ihren Hut auf das Pult und fordert die
Schüler auf, einen Aufsatz darüber zu schreiben. Darin
soll der Hut so genau wie möglich beschrieben werden.
Nach einer Weile hebt Tobias den Finger und fragt:
„Fräulein, schreibt man ‚schäbig‘ mit einem ‚b‘ oder mit
zwei?“

Der Lehrer ärgerlich: „Ich hatte doch als Hausaufgabe einen Aufsatz von mindestens zwei Seiten zum Thema Milch aufgegeben. Aber unser Spezialist Martin gibt ganze zwei Zeilen ab! Was hast du dazu zu sagen, Martin?"
„Ich habe über Kondensmilch geschrieben!"

Die Maßeinheiten werden durchgenommen.
„Es gibt Millimeter, Dezimeter, Zentimeter …
Was noch?"
„Elfmeter", sagt Horst.

Schülervorstellung im Zirkus Fratelli. Die Dompteuse ist ein steiler Zahn. Mutig geht sie zu einem Löwen hin, fasst ihn bei den Ohren und gibt ihm einen Kuss.
„Na, wer traut sich das nachzumachen?", ruft dümmlich der Ansager ins Mikrofon.
Da arbeitet sich Ludwig, der Stärkste der Klasse, vor und sagt: „Ich mach's! Aber nehmen Sie vorher die Löwen fort!"

Emil kommt zu spät zur Schule. Auf der Treppe trifft er den Rektor.
„Zehn Minuten zu spät!", sagt der Rektor streng.
„Ich auch!", sagt Emil.

Bei Kaisers haben sie Zwillinge bekommen. Jochen erhält deshalb einen Tag schulfrei.
„Was hat der Lehrer gesagt, als er von den Zwillingen erfahren hat?“, fragt Mutti.
„Vom zweiten Kind habe ich noch gar nichts gesagt. Das spare ich mir für den nächsten Monat auf!“, sagt Jochen schlau.

Der dicke Professor Wannerl gibt Biologie.
„Welche Muskeln treten in Bewegung, wenn ich einen Dauerlauf mache?“, fragt er.
„Die Lachmuskeln!“, schallt es ihm aus der Klasse entgegen.

„Das gibt’s doch nicht! Jetzt hast du die Prüfung zum zweiten Mal nicht bestanden! Unerhört so was!!!“, tobt Papi.
„Was kann ich dafür, wenn diese bescheuerten Idioten genau die gleichen Fragen stellen wie im vorigen Jahr!“

„Nehmt eure Hausaufgabenhefte und schreibt auf: die letzten drei Aufgaben von Seite 109, dann die ganze Seite 110, die ersten zwölf Aufgaben Seite 111 …“
„ … mein armer Papi!“, seufzt da Sabinchen.

Die Lehrerin heiratet und verabschiedet sich von ihrer Klasse. Alles ist zu Tränen gerührt.
„Und wenn mir der Klapperstorch einmal ein Kindchen bringt, dann besucht ihr mich. Ja?", sagt sie.
Tim flüstert grinsend seinem Nachbarn zu: „Mensch, die wird sich bald wundern ..."

Bernie kommt von der Schule nach Hause.
Sein Vater fragt: „Was habt ihr heute gehabt?"
„Chemie."
„Und was habt ihr gelernt?"
„Wie man Sprengstoff herstellt."
„Und was habt ihr morgen in der Schule?"
„In welcher Schule?"

Es unterhalten sich zwei Mütter. Sagt die eine: „Meine Julia erzählt zu Hause nichts von der Schule. Das finde ich sehr unangenehm."
„Seien Sie nur froh", sagt die andere. „Lisa erzählt mir alles. Seitdem kann ich keine Nacht mehr schlafen!"

Wochenlang erzählt der Pfarrer, wie der erste und der zweite Mensch erschaffen worden sind.
„Der traut sich doch bloß nicht zu erzählen, wie der dritte Mensch erschaffen wurde", sagt Uli.

„Sehen Sie, Herr Kollege“, sagt ein Lehrer zum anderen. „Da lümmelt sich wieder die ganze elfte Klasse zum Fenster hinaus!“
„Unglaublich, unglaublich!“, sagt der andere. „Und wenn dann einer hinunterfällt, dann will's wieder keiner gewesen sein!“

Toni will die Schule schwänzen. Aus diesem Grund hat er sich einen raffinierten Trick ausgedacht. Er ruft im Sekretariat an und tönt mit tiefer Stimme: „Der Toni kann heute wegen Krankheit die Schule nicht besuchen!“
„Wer ist denn am Apparat?“, fragt die Sekretärin.
„Mein Vater“, sagt Toni.

Bruchrechnen in der Schule: „Was erhalte ich, wenn ich eine Semmel durch zwei teile?“
„Zwei halbe Semmeln.“
„Und wenn ich die halben Semmeln wieder teile?“
„Vier Viertel.“
„Und was kriege ich, wenn ich die vier Viertel durch zweiunddreißig teile?“
„Semmelbrösel!“

„Was isst du da?"
„Kaugummi."
„Nimm ihn sofort aus dem Mund und wirf ihn weg!"
„Darf ich nicht."
„Warum nicht?"
„Den hat mir der Stefan geliehen!"

Jeden Morgen betritt die Lehrerin das Klassenzimmer und findet vor der Tafel eine kleine Pfütze vor. Nach einigen Tagen reißt ihr der Geduldsfaden: „Also, das geht nicht so weiter! Wir machen jetzt alle die Augen zu, und wer es war, der geht an die Tafel und wischt die Pfütze auf. Damit soll die Angelegenheit ein für alle Mal vergessen sein."
Alle schließen die Augen, man hört Schritte vor zur Tafel und kurz darauf wieder Schritte zurück. Alle schauen neugierig zur Tafel. Da sehen sie eine zweite Pfütze, und an der Tafel steht ganz groß: „Der unheimliche Pisser hat wieder zugeschlagen."

„Florian", fragt der Lehrer, „nenne mir einen griechischen Dichter."
„Achilles", antwortet Florian.
„Achilles war doch kein Dichter", tadelt der Lehrer.
„Aber er ist doch durch seine Ferse berühmt geworden!"

Der Pfarrer möchte seiner Klasse erklären, was ein Wunder ist.
„Stellt euch vor, einer steht auf dem Olympiaturm und fällt dann herunter. Er bleibt aber heil. Was ist das?"
„Schwein gehabt."
„Also gut. Dann sagen wir, der Mann fällt noch mal herunter, und wieder passiert ihm nichts. Was ist das dann?"
„Training."
„Ach, Unsinn! Nehmen wir also an, er fällt ein drittes Mal herunter, und wieder macht's ihm nichts. Was ist das dann?"
„Dann ist das ein Idiot. Wer fällt schon dreimal vom Olympiaturm!"

Max und Fabian müssen nachsitzen. „Zur Strafe schreibt jeder von euch hundertmal seinen Vor- und Nachnamen!", verlangt der Lehrer. „Und wer damit fertig ist, kann heimgehen!"
„Das ist total ungerecht!", beschwert sich der Fabian. „Ich heiße Fabian Johannes Oberläuseldupfenberg, und der da nur Max Hain."

Robert kommt zwei Stunden zu spät in die Schule, hat den Arm in der Schlinge und einen Verband um den Kopf.
„Warum kommst du so spät?“, fragt der gestrenge Herr Studienrat Bockelmann.
„Entschuldigen Sie, ich bin vom zweiten Stock unseres Hauses in den Garten gefallen.“
„Papperlapapp!“, sagt der Herr Studienrat.
„Das kann doch keine zwei Stunden gedauert haben!“

„Wolfgang, weißt du, was für ein Klima in Neuseeland herrscht?“
Wolfgang: „Ich denke, es wird dort frostig kalt sein.“
Lehrer: „Falsch! Wie kommst du darauf?“
Wolfgang: „Das Lammfleisch, das wir von dort bekommen, ist immer tiefgefroren!“

„Du kannst doch die Leute nicht einfach mit Dreckwasser bespritzen!“, nimmt der erzürnte Vater seinen Sprössling Thomas an den Ohren.
„Muss ich da warten, bis ich ein Auto habe?“, will Thomas wissen.

„Hast du deine Schulaufgaben ganz allein gemacht, Leo?“, fragt der Lehrer.
„Ja, doch, ganz allein!“, antwortet Leo.
„Wirklich ganz allein?“, forscht der Lehrer weiter.
„Ja, wirklich!“
„Dann bist du ein Genie, Leo! Für so viele Fehler braucht man normalerweise mindestens fünf bis sechs Personen!“

„Na, Erna, wie ist denn diesmal dein Zeugnis ausgefallen?“
„Ist doch egal, Mutter. Hauptsache, wir sind alle gesund!“

Der Lehrer erklärt der Klasse: „Der Mond ist so groß, dass viele Millionen Menschen darauf Platz haben.“
Werner kichert vor sich hin.
„Was gibt es da zu kichern?“, will der Lehrer wissen.
„Ach, wissen Sie, ich stelle mir gerade das Gedränge vor, wenn Halbmond ist.“

Die kleine Eva kommt aus der Schule und wird von der Mutter gefragt: „Wovon hat denn heute der Religionslehrer gesprochen, Evchen?“
„Hauptsächlich von Adam und mir.“

Der kleine Tobias sitzt in der ersten Reihe und bohrt andächtig in der Nase.
Der Lehrer sieht es: „Pfui, Tobias, man bohrt doch nicht mit dem Finger in der Nase!"
Fragt Tobias: „Mit was dann?"

Der Lehrer erklärt den Schülern, was Elektrizität ist: „Wenn man eine Katze gegen den Strich streichelt, lädt sich das Fell auf, und es entsteht Elektrizität."
Meldet sich Moritz: „Und wo kriegt das Elektrizitätswerk die vielen Katzen her?"

„Betet ihr zu Hause auch immer vor dem Essen?", fragt der Religionslehrer den kleinen Tobi. „Nein, warum auch?", fragt dieser. „Meine Mutter kocht ganz gut."

Sabine wartet nach dem Unterricht auf den Lehrer. „Herr Müller", fragt sie, „was haben wir denn heute alles durchgenommen?"
„Das solltest du eigentlich wissen, Sabine."
„Das stimmt schon, Herr Lehrer, aber mich interessiert es ja nicht; nur meine Mutter will es ganz genau wissen!"

Der Lehrer will wissen: „Schreibt man Eifersucht mit ‚f' oder mit ‚v'?"
„Das kommt ganz drauf an", meint Harald. „Wenn es heißt: ‚Mich plagt die Eifersucht', schreibt man es mit ‚f'. Wenn es aber heißt: ‚Ich habe das Ei versucht', dann schreibt man es mit ‚v'."

Peters Vater muss in die Elternsprechstunde kommen.
„Nun, etwas Positives kann ich Ihnen doch über Ihren Sohn mitteilen", sagt die Lehrerin zu Peters Vater.
„Oh, das freut mich, was ist es denn?"
„Er ist, ehrlich gesagt, ehrlich."
„Ja? Was hat er denn gesagt?"
„Dass er unehrlich ist."

Der Naturkundelehrer fragt nach der Wirkung von Kälte und Hitze.
Tom antwortet: „Hitze dehnt aus, Kälte zieht zusammen."
„Richtig. Nenne mir ein Beispiel!"
„Im Sommer sind die Tage länger, im Winter werden sie kürzer!"

Der Lehrer fragt: „Klaus, warum hast du gestern gefehlt?"
„Weiß ich nicht, Herr Lehrer, ich habe vergessen, die Entschuldigung zu lesen."

Andi muss bei der mündlichen Geschichtsprüfung nach vorne kommen.
„Wie heißt der Franzose, der erst General war und später Kaiser wurde?“, will der Lehrer wissen.
Andi denkt eine Weile tief und angestrengt nach und sagt: „Es tut mir leid, aber das weiß ich nicht.“
„Napoleon!“, ruft der Geschichtslehrer enttäuscht.
Andi dreht sich um und will wieder zurück auf seinen Platz gehen.
„Wo willst du denn hin?“, wundert sich der Prüfer.
Entschuldigt sich Andi: „Verzeihung, ich dachte, Sie hätten schon den Nächsten aufgerufen!“

Susi kommt schon wieder zu spät in die Schule.
Der Lehrer fragt sie wütend: „Hast du denn keinen Wecker?“
„Doch, aber der läutet immer schon, wenn ich noch schlafe!“

Roland kommt von der Schule nach Hause und erzählt erleichtert seiner Mutter: „Da bin ich aber wirklich froh, dass ich nicht euer siebtes Kind bin. In der Schule haben wir heute gelernt, dass jeder siebte Mensch ein Chinese ist!“

„Fritzchen, hast du deine Geschichtshausaufgaben wirklich alleine gemacht?"
„Ja, Herr Lehrer, bloß bei der Ermordung von Julius Cäsar hat mir mein Vater ein bisschen geholfen!"

Olaf schreibt im Diktat das Wort „Tiger" klein. Seufzt die Lehrerin: „Habe ich dir nicht schon zigmal erklärt: Alles, was man anfassen kann, wird groß geschrieben!"
Wundert sich Olaf: „Na, dann versuchen Sie mal, einen Tiger anzufassen!"

Am ersten Schultag fragt der Lehrer die Kinder nach ihren Namen.
„Ich heiße Sepp", sagt der Erste.
„Sepp? Das heißt Josef", verbessert der Lehrer.
„Hannes", sagt der Zweite.
„Das heißt Johannes. Und wie heißt du?", fragt er den Dritten.
Der antwortet: „Jokurt."

„Ist eure Lehrerin streng?"
„Streng ist gar kein Ausdruck. Die brüllt in Biologie sogar die Goldfische an, wenn sie nicht herschauen."

Im Naturkundeunterricht will der Lehrer den Schülern erklären, dass Reibung Wärme erzeugt. Um es recht anschaulich zu machen, sagt er zu den Kindern: „Reibt mal kräftig eure Hände aneinander. Na, was geschieht?"
Meldet sich Sebastian: „Das gibt lauter schwarze Krümel!"

Als der Schulrat ins Klassenzimmer kommt, ist Anne gerade an der Reihe: „ … ich ist …"
Sie wird vom Schulrat unterbrochen: „Es heißt ‚ich bin' und nicht ‚ich ist'!"
Anne nickt gehorsam: „Ich bin ein persönliches Fürwort."

„Ich werde das nie kapieren! Warum soll ich Englisch lernen!", schimpft Andi.
„Überleg doch mal", sagt der Vater. „Die halbe Welt spricht Englisch!"
„Na und?", meint Andi. „Reicht das immer noch nicht?"

Udo kann dem Lehrer ein geliehenes Buch nicht zurückbringen. Er hat Halsschmerzen und liegt im Bett.
Sein Vater schreibt eine Entschuldigung: „Leider kann mein Sohn Udo das Buch heute nicht zurückbringen – er hat es im Hals."

Der Lehrer erklärt: „Wenn zwei Menschen in guten und schlechten Zeiten zusammenhalten, dann ist das eine echte Freundschaft. Wer von euch kann mir zwei vorbildlich treue Freunde nennen?"
Meldet sich Michael und sagt im Brustton der Überzeugung: „Max und Moritz!"

Ben brütet verzweifelt über seinen Hausaufgaben.
Fragt der Vater aufmunternd: „Na, Ben, was macht ihr denn gerade so im Unterricht?"
„Ach, Bruchrechnung. Wir suchen den kleinsten gemeinsamen Nenner."
„Was", sagt der Vater, „hat man den immer noch nicht gefunden? Den haben wir zu meiner Zeit auch schon gesucht."

In der ersten Klasse bespricht der Lehrer die Insekten und die Ursache und Wirkung ihrer Stiche. Nach seiner Erklärung fragt er: „Wozu also hat zum Beispiel der Floh einen Stachel?"
Meldet sich der kleine Tobi und sagt: „Ist doch klar, Herr Lehrer, damit er besser bremsen kann, wenn er den Buckel runterrutscht!"

„Warst du brav in der Schule?“, will die Mama vom kleinen Simon wissen.
„Was kann man schon anstellen, wenn man den ganzen Vormittag in der Ecke stehen muss!“, schimpft Simon.

In der Pause hat Karlchen eine gute Idee: „Wer jetzt das dümmste Gesicht machen kann, der hat gewonnen. Kapiert?“
Alle geben sich die größte Mühe und verrenken ihre Gesichtszüge. Schon nach kurzer Zeit ist man sich einig. „Hugo ist der Sieger!“
Aber Hugo brummt: „Ich hab doch gar nicht mitgespielt!“

Aufsatzthema „Die Ehe“. Heike schreibt: „Bei uns darf der Mann nur eine Frau und jede Frau nur einen Mann haben. Das nennt man Monotonie!“

Jens kommt von der Schule nach Hause.
„Mami“, verkündet er, „nächste Woche bekommen wir alle eine Enzyklopädie.“
„Ach, du meine Güte!“, seufzt die Mutter. „Dann lassen wir dich am besten gleich dagegen impfen!“

Klaus Möhrenstrunks Vater ist als Rechtsanwalt das große Vorbild von Klaus. Eines Tages muss Klaus nachsitzen und kommt zu spät zum Mittagstisch.
„Warum musstest du denn nachsitzen?“, will der Vater wissen.
„In Sachen Rechtschreibung Möhrenstrunk kontra Duden“, gibt Klaus gekonnt Auskunft.

„Kannst du mir eine Stadt aus dem Ruhrpott nennen?“, fragt der Lehrer.
„Gern“, antwortet der Schüler. „Welche?“

Ein Mann wartet vor dem Klassenzimmer auf seinen Sohn.
Fragt eine vorbeikommende Lehrerin:
„Erwarten Sie ein Kind?“
„Nein“, erwidert er, „ich bin immer so dick!“

„Leon, wie kommen dreizehn Fehler in deinen Aufsatz?“, fragt der Lehrer streng.
„Das kann ich mir auch nicht erklären. Jedenfalls war mein Schulranzen die Nacht über verschlossen im Wohnzimmer.“

Im Biologieunterricht wird die Frage gestellt: „Welche Vorzüge hat die Muttermilch gegenüber der Kuhmilch?“ Ines weiß eine ganze Menge Vorzüge: „1. Die Muttermilch ist bekömmlicher. 2. Die Muttermilch ist auch billiger. 3. Die Katze kann nicht dran!“

Im Zoo hat die Lehrerin Anschauungsunterricht über die Löwen gegeben. „Hat noch einer eine Frage?“ Anne hat noch eine: „Wenn so ein Löwe über den Wassergraben kommt und Sie auffrisst, mit welcher Buslinie müssen wir dann heimfahren?“

In Bio wird die Beschaffenheit des Menschen durchgesprochen.
„Der Mensch redet mit dem Mund, läuft mit den Füßen, mit der Nase riecht er und mit den Händen arbeitet er.“
Meldet sich Ute: „Das ist aber bei Rudi aus unserer Straße ganz anders. Bei dem riechen die Füße, läuft die Nase, arbeitet das Mundwerk und reden tut der mit den Händen.“

„Warum ist es so wichtig, dass wir lesen lernen?“, will die Deutschlehrerin wissen.
Rosa weiß es: „Damit wir uns beschäftigen können, wenn der Fernseher streikt!“

Was macht ein Aal im Rhein?
Er studiert Chemie.

Im Naturkundeunterricht erklärt der Lehrer: „Ein Reptil ist ein Tier, das nicht gehen und stehen kann, sondern immer auf dem Boden kriecht. Wer kann mir ein Reptil nennen?“
Chris meldet sich: „Mein kleines Brüderchen!“

„Mein Fuß ist total eingeschlafen. Ich kann überhaupt nicht mehr auftreten“, sagt Boris zu seinem Freund.
„Dem Geruch nach zu urteilen, müsste er sogar schon längere Zeit tot sein“, antwortet dieser.

Der Lehrer fragt im Deutschunterricht: „Warum wohl spricht man von der Muttersprache?“
Andi hat Erfahrung: „Weil der Vater nicht so viel zu sagen hat!“

Der kleine Klaus kommt aus der Schule nach Hause.
„Mutti, wie bin ich auf die Welt gekommen?“
„Der Storch hat dich gebracht.“
„Und du?“
„Mich hat auch der Storch gebracht.“
„Und die Oma?“
„Die hat auch der Storch gebracht. Warum willst du denn das wissen?“
„Wir müssen einen Aufsatz schreiben. Der Lehrer wird sich vielleicht wundern! Seit drei Generationen hat es in unserer Familie keine normale Geburt mehr gegeben!“

„Deine Mutter ruft dich“, sagt Timo.
„Gut, warte hier!“, erklärt Anton. „Ich muss heim, Aufsatz und Mathe machen, Vokabeln lernen und Klavier üben – so in zwanzig Minuten bin ich wieder hier.“

Der Lehrer im Sozialkundeunterricht: „Wusstet ihr schon, dass bei jedem Atemzug, den ich mache, ein Mensch stirbt?“
Dröhnt es aus den hinteren Bänken: „An Ihrer Stelle würde ich es mal mit Mundwasser versuchen!“

„Papa, stimmt es, dass ‚anal' etwas mit dem Gesäß zu tun hat?", fragt die kleine Karin beim Mittagstisch.
„Ja, das stimmt, wieso?"
„Au, dann glaube ich, dass mein Lehrer dich ganz schön beleidigt hat", sinniert Karin. „Weißt du, was er zu dem Aufsatz gesagt hat, den du mir geschrieben hast?"
„Ja, was denn?"
„Den Käse hat ein Analphabet geschrieben."

Der progressive Biolehrer beginnt mit seinem Aufklärungsunterricht in der neunten Klasse. „Heute geht es darum, wie sich die Bienen fortpflanzen. Hanna, beschreibe einmal deinen letzten Samstagabend!"
„Samstagabend …", überlegt Hanna, „da war ich mit meinem Freund auf Schalke, danach waren wir in einer affengeilen Disco, dann sind wir noch auf meine Bude und … na, Sie wissen schon."
Ergänzt der Lehrer: „Und so ähnlich machen es auch die Bienen."

Es sagte der Sohn des Kinobesitzers nach dem ersten Schultag: „Komisch, was sich da heute abgespielt hat. Alles jugendfrei und trotzdem war der Laden brechend voll."

Tobias hat ein saumäßiges Zeugnis bekommen. Sein Vater ist außer sich und tobt gehörig.
Als er sich einigermaßen beruhigt hat, sagt Tobias: „Mal ganz ehrlich, Vater, liegt es bei mir nun an den Erbfaktoren oder an den Umwelteinflüssen?"

Bei der Schuluntersuchung wird Sebastian vom Arzt gefragt: „Hast du irgendwelche Probleme mit der Nase oder den Ohren?"
Sebastian besinnt sich, dann meint er: „Ja, jeden Morgen, wenn ich den Pullover über den Kopf ziehe!"

„Merkt euch, Kinder: Eigenlob stinkt!", verkündet der Lehrer.
Fünf Minuten später: „Herr Lehrer! Neben mir hat sich gerade einer gelobt!"

Erster Schultag. Axel kommt nach Hause, und die Mutter fragt: „Nun, wie hat es dir gefallen?"
„Ich bin schwer enttäuscht, Mama!"
„Aber warum denn?"
„Sie haben uns durch eine Tür geschickt, auf der 1. Klasse stand. Aber was meinst du, was drin war? Lauter Holzbänke!"

Georg will Lehrer werden und darf erstmals selbstständig eine Unterrichtsstunde halten.
„Nun, und welchen Eindruck hatten Sie von der Klasse?“, erkundigt sich nachher der Schuldirektor.
Da meint Georg: „Nun ja, wenn die Schüler in den vorderen Bänken so leise wären wie die Schüler, die in den mittleren Bänken Comichefte lesen, dann könnten die Schüler in den hinteren Bänken ungestört weiterschlafen.“

Die ganze Familie ist fix und fertig. Der Tobi hätte unbedingt durchkommen müssen. Sie haben ihm sogar ein Fahrrad dafür versprochen. Und jetzt ist er wieder durchgefallen.
„Ja, Herrgott noch mal, was hast du in den letzten Monaten überhaupt getan?“, tobt Papi.
„Radfahren gelernt“, sagt Tobi.

„Wir haben heute in der Schule gelernt, dass das männliche Gehirn größer ist als das weibliche. Was schließt du daraus?“, fragt Tom provozierend seine Schwester.
„Dass es nicht auf die Größe, sondern auf die Qualität ankommt“, gibt Eva schlagfertig zurück.

Der Lehrer will römische Zahlen einüben und schreibt „Johannes XXIII." an die Tafel.
„Wie liest man das?", fragt er Franz, den Sohn eines Gastwirts.
„Johannes hatte zwei Klare und drei Bier."

„Sag mal, Leo, wie kommt es eigentlich, dass deine Hausaufgaben seit einer Woche immer fehlerfrei sind?"
„Mein Vater ist zurzeit verreist, Herr Lehrer!"

„Wer kann mir sagen, wo der Strom herkommt?", fragt der Naturkundelehrer.
„Aus dem Urwald", behauptet Peter.
„Wieso aus dem Urwald?", staunt der Lehrer.
„Ja, gestern Morgen, als sich mein Vater rasieren wollte, fluchte er laut vor sich hin: ‚Jetzt haben diese Affen schon wieder den Strom abgestellt!'"

Die Lehrerin fragt ihre Klasse: „Was verstehen wir unter Morgengrauen?"
Monika meldet sich: „Das ist das Grauen, das man jeden Morgen hat, wenn man aufstehen und in die Schule gehen muss!"

Die nicht mehr ganz junge Lehrerin erklärt im Unterricht die Grammatik. Es geht um die verschiedenen Zeiten.
„Conny, was ist das für eine Zeit, wenn ich sage: Ich bin schön!"
„Vergangenheit, Frau Lehrerin!"

In der ersten Klasse geht es um Handwerksberufe.
Der Lehrer fragt: „Was macht ein Maurer?"
„Verputzen", antwortet Thomas.
„Und was macht ein Schreiner?"
„Möbel und Fenster", weiß Stefan.
„Und ein Bäcker?"
„Tennis spielen!", ruft Kai begeistert.

„Sandra, schreib eine 11 an die Tafel!"
Sandra schreibt eine 1 und zögert.
Lehrer: „Was ist denn los? Schreib doch eine zweite 1 dazu, oder weißt du nicht mal, wie man eine 11 schreibt?"
„Doch", druckst Sandra herum, „ich weiß nur nicht mehr genau, ob die zweite 1 vor oder hinter die erste kommt!"

Der kleine Markus hat in der Frühstückspause seinen Kakao über die Bank geschüttet. Die Lehrerin schimpft ihn aus.
„Warum schimpfen Sie denn?“, fragt Markus erstaunt. „Die Tante im Werbefernsehen lacht über so was nur!“

Frau Brümmel fragt ihren Neffen neugierig: „Na, Michi, wie war denn der erste Schultag?“
„Na ja“, meint Michael, „das Programm war schon mal mittelmäßig – aber dann noch diese Ansagerin!“

„Ich verstehe die Mengenlehre nicht“, klagt Bernd.
„Ist doch total einfach“, behauptet sein Vater. „Wenn zum Beispiel drei Leute in einem Raum sind und fünf gehen hinaus, dann müssen wieder zwei hineingehen, damit der Raum leer ist!“

Der Lehrer zu Fabian: „Bevor es Fernsehen gab, gingen die Leute mit den Hühnern zu Bett.“
Roland: „Deren Bettwäsche muss ja schön ausgesehen haben!“

„Was ist drei hoch eins?“, will die Lehrerin wissen.
Tim antwortet: „Ein Hund, der pinkelt.“

Ganz schön clever

„Bitte heute keinen Lebertran, Mutti!"
„Warum denn nicht?"
„Wir haben in der ersten Stunde Turnen, und ich möchte nicht, dass einer sagt, ich sei gedopt!"

Sagt der Lehrer: „Venedig sinkt und sinkt. Die Bewohner machen sich große Sorgen."
Meint Schüler Paul: „Die sollten sich ein Beispiel an Mainz nehmen: Mainz singt und lacht!"

Vergnügt gehen zwei Inuitjungen zur Schule. Als sie an der Drogerie vorbeikommen, schaut der eine auf das Thermometer.
„Mensch, heute hat es nur zwölf Grad unter null!", sagt er überrascht.
„Prima!", freut sich der andere. „Da bekommen wir vielleicht hitzefrei!"

Im Religionsunterricht fragt der Lehrer: „Und als Adam und Eva vom Baume der Erkenntnis gegessen hatten, was sagte da der Herrgott zu ihnen?"
Meldet sich die kleine Gertrud: „Nun aber schleunigst raus aus den Anlagen!"

Deutschstunde. Der Lehrer trägt vor: „Ich komme nicht, du kommst nicht, er kommt nicht, sie kommt nicht, es kommt nicht, wir kommen nicht … Jetzt sag mir mal, Uwe, was das bedeutet."
„Das bedeutet", sagt Uwe, „dass überhaupt keiner kommt."

„Achim, was ist eine Oper?", fragt der Lehrer.
„Eine Oper ist ein Theaterstück, in dem der Hauptdarsteller erstochen wird. Anstatt nur zu bluten, fängt er an zu singen!"

Lehrer: „Das Glas haben wir von den Ägyptern, den Kalender von den Römern und unsere Zahlen von den Arabern. Hans, kannst du mir ein ähnliches Beispiel nennen?"
„Ja, das Bügeleisen haben wir von Meiers, den Staubsauger von Hartmanns und das Geld vom Abc-Kredit."

„Wie nennt man jemanden, der unverheiratet ist?"
„Ledig, Herr Lehrer!"
„Und jemanden, der verheiratet ist?"
„Erledigt!"

Eine Schulklasse besichtigt die Orgelempore.
„Wer weiß, warum es auf dem Manual schwarze und weiße Tasten gibt?", fragt der Lehrer.
„Die weißen sind für die Hochzeiten, die schwarzen für die Beerdigungen!"

Das ganze Schulhaus wackelt, so laut ist die Klasse 4. Der Rektor saust über den Gang und stößt mit Felix zusammen. „Was machst du denn hier?"
„Ich bin vom Umweltschutz, Herr Rektor!"
„Vom Umweltschutz?"
„Na klar, ich soll hier aufpassen, ob die Luft rein ist …"

Inschrift auf dem Grabstein eines Lehrers:
„Ein treues Herz und zwei nimmermüde Hände haben aufgehört zu schlagen."

Der Religionslehrer fragt: „Wer kann mir das achte Gebot erklären?"
Meldet sich Patrick: „Das achte Gebot gilt nur für Lehrer!"
„Wieso das?"
„Es heißt doch: Du sollst kein falsches Zeugnis geben!"

Der kleine Dieter fragt in der Schule: „Herr Lehrer, wann ist Peter und Paul?"
„Peter und Paul ist am 29. Juni."
Da hebt der kleine Winnie den Finger: „Und wann ist Max und Moritz?"

„Nun, Frank", fragt die Mutter ihren Sohn nach dem ersten Schultag, „ist alles gut gegangen?"
„Wohl nicht", meint Frank, „ich muss morgen noch mal hin!"

„Kein Lebewesen erblickt zweimal das Licht der Welt."
„Doch, Herr Lehrer, Ölsardinen."

Ferdinand und Leopold kommen völlig außer Atem an die Tankstelle.
„Schnell, bitte fünf Liter Benzin!"
Nach fünf Minuten kommen sie schon wieder angerast.
„Das reicht noch nicht, noch einmal zehn Liter!"
Der Tankwart erkundigt sich besorgt: „Wozu braucht ihr das denn?"
„Na, die Schule brennt doch!"

Silke und Dani, die beiden Klassenbesten, streiten sich heftig.
„Brüll du nur“, sagt Silke. „Was du erzählst, geht bei mir in ein Ohr rein und beim anderen wieder raus.“
„Kunststück“, meint Dani, „es ist ja auch nichts dazwischen, das es aufhalten könnte!“

Der Knirps zeigt seinem Onkel die Kleinstadt.
„Und dort ist die Schule, in die ich gehe!“
„Die kenne ich doch noch“, sagt da der Onkel.
„Vor zwanzig Jahren bin ich selbst dort zur Schule gegangen!“
„Jetzt weiß ich's!“, ruft der Knirps aus.
„Was weißt du?“, fragt der Onkel verständnislos.
„Was der Direktor meinte, als er neulich sagte, er hätte seit zwanzig Jahren keinen solchen Trottel mehr in der Schule gehabt!“

Die Lehrerin sagt: „Wer mir einen Satz bildet, in dem ‚Samen‘ und ‚säen‘ vorkommt, der darf sofort nach Hause gehen.“
Maxi meldet sich: „Guten Tag beisamen. Morgen säen wir uns wieder.“

Thomas kommt von der Schule und erzählt: „Wir haben heute alles über die Entfernung des Mondes gelernt."
„So", sagt die Mutter erstaunt, „und wie entfernt man ihn?"

„Wie heißt die Zukunft von ‚ich heirate'?", fragt die Lehrerin in Hollywood.
„Ich lasse mich scheiden", antwortet die kleine Tochter einer Schauspielerin.

Der überarbeitete Lehrer ruft Achim auf.
Da sagt einer: „Der Achim ist heute nicht da."
Darauf der Lehrer: „Ruhe. Achim soll selber antworten!"

Kevin hat zum Geburtstag eine neue Uhr geschenkt bekommen. Als er sie stolz in der Klasse herumzeigt, kommt der Lehrer herein und fragt, was denn los sei.
„Kevin hat eine neue Digitaluhr geschenkt gekriegt!"
„So", meint der Lehrer, „dann sag uns doch gleich mal, wie spät es ist."
Kevin starrt eine Weile ratlos auf sein neues Prunkstück und murmelt dann kleinlaut: „Acht geteilt durch dreizehn. Aber ausrechnen müssen Sie es selber, Herr Lehrer!"

Der kleine Tobi zu seinem Vater: „Sag mal, Papi, kannst du auch mit geschlossenen Augen deinen Namen schreiben?"
„Aber natürlich, warum denn?"
„Dann mach mal die Augen zu und unterschreibe mein Zeugnis!"

Elternsprechtag. Herr Silbermann fragt den Lehrer nach den schulischen Leistungen seines Sohnes Anton.
„Tja", sagt der Klassenlehrer, „Ihr Anton macht immer einen etwas schläfrigen Eindruck."
„Klingt gut", sagt Herr Silbermann zufrieden. „Das machen bestimmt die Talente, die in ihm schlummern."

In der Pause: „Du bist ein Kamel!"
„Du bist ein noch größeres Kamel!"
„Und du bist das allergrößte Kamel!"
Da kommt der Lehrer dazu und sagt: „Ihr habt wohl ganz vergessen, dass ich auch noch hier bin."

Die Lehrerin fragt Tina: „Ich habe gehört, dass du in den Ferien in Spanien warst. Hattest du denn keine Schwierigkeiten mit deinem Spanisch?"
Tina grinst: „Ich nicht, aber die Spanier!"

„Unser Lehrer weiß auch nicht, was er will!“, flüstert Markus Philipp ins Ohr.
„Gestern hat er behauptet: Fünf und fünf ist zehn. Heute behauptet er, sechs und vier wäre zehn!“

Antiautoritäre Erziehung in der Schule: „Herr Lehrer, müssen wir heute wieder das machen, was wir wollen?“

Im Unterricht werden die Alpen durchgenommen.
Da erklärt der Lehrer auch einiges über die Gämsen:
„Gämsen warnen sich bei Gefahr gegenseitig durch einen Pfiff. So!“
Der Lehrer steckt zwei Finger in den Mund und macht den Warnpfiff der Gämsen nach.
„Super!“, staunt Kläuschen. „Das möchte ich mal sehen, wie sich die Gämse den Fuß ins Maul stopft und pfeift!“

Als Hausaufgabe sollen die Schüler das Abc auswendig lernen. Am nächsten Tag fragt der Lehrer die Schüler ab. Fabian wird aufgerufen. Der kann aber beim besten Willen den Anfang nicht finden und entschuldigt sich: „Gelernt habe ich es, und ich kann es auch, nur kann ich mich jetzt nicht erinnern, wie das Abc anfängt!“

„Papi, der Florian muss die Klasse wiederholen. Er ist sitzen geblieben."
„Na, das wundert mich gar nicht! Das hat er von seinem Vater. Der ist der größte Esel, den ich je im Leben gesehen habe!"
„Du, Papi!"
„Ja?"
„Ich bin auch sitzen geblieben!"

„Warum hast du denn heute nachsitzen müssen?", fragt der Vater.
„Ich habe mich geweigert, jemanden zu verpetzen."
„Das war aber doch nur anständig von dir!", meint der Vater. „Um was ging es denn?"
„Der Lehrer wollte unbedingt wissen, wer der Mörder von Julius Cäsar war!"

Die Klasse besucht ein Museum. Claudia betrachtet beeindruckt die Statue eines olympischen Kämpfers, dem ein Bein, ein Arm und die Nase fehlen. Sie geht näher heran und liest auf dem Schild: „Der Sieger". „Au weia", murmelt sie, „wie muss dann erst der Verlierer ausgesehen haben?"

Der Lehrer fragt Paul ganz niedergeschlagen: „Jetzt bin ich schon dreißig Jahre an dieser Schule, was glaubst du wohl, welchen Satz ich am häufigsten hören musste?"
„Das weiß ich nicht, Herr Lehrer."
„Richtig."

„Warum weinst du denn so, Kleiner?", fragt ein Mann einen kleinen Jungen, der in die Schule gehen will und ganz verzweifelt am Straßenrand steht.
„Weil kein Auto kommt", jammert er.
„Aber das ist doch nicht so schlimm!"
„Doch, wir haben in der Schule gelernt, dass man nur über die Straße gehen darf, wenn das Auto vorbeigefahren ist!"

Jeden Morgen kommen einige Schüler zu spät zum Unterricht. Der Lehrer möchte erst einmal versuchen, diese Unart ohne Strafe abzustellen. Also fragt er seine Schüler: „Wie können wir es schaffen, dass alle Schüler pünktlich zum Klingelzeichen an ihrem Platz sind?"
Da kommt eine Antwort aus der letzten Reihe:
„Sie müssen halt den klingeln lassen, der als Letzter kommt!"

„Mami, warum heißt der Lehrer Lehrer?"
„Weil er euch so vieles lehrt."
„Ach so, dann ist Papi also ein wahnsinniger Schuft."
„Was? Wieso?"
„Na, weil er immer sagt, dass er so wahnsinnig schuftet!"

Der Lehrer diktiert immer wieder ein paar Sätze. Dann macht er eine Pause und fragt: „Kommt ihr mit?"
Die Klasse wie aus einem Mund: „Ja, gern, wohin?"

„Was geschah 1749?", fragt der Lehrer.
„Da wurde Goethe geboren."
„Sehr gut! Und weißt du auch, was 1759 für ein bedeutendes Datum war?"
„Da feierte Goethe seinen zehnten Geburtstag!"

„Ist deine Mutter verheiratet?", will die Lehrerin vom neuen Schüler wissen.
„Ja, mit einem Mann."
„Jetzt werde mal nicht frech. Natürlich ist sie mit einem Mann verheiratet."
„So natürlich ist das gar nicht", entgegnet der Schüler, „mein Bruder ist zum Beispiel mit einer Frau verheiratet."

Der Lehrer gibt den Schülern die Proben raus.
Als Klaus sein Heft bekommt, meldet er sich heftig.
„Klaus, was ist?“, fragt der Lehrer.
„Was heißt denn das, was Sie unter meine Arbeit geschrieben haben?“
„Ungenügend wegen unleserlicher Schrift!“

„Du kommst ja schon wieder zu spät in die Schule!“, schimpft der Lehrer.
Entschuldigt sich Max: „Ich hatte heute Morgen zu viel Zahnpasta aus der Tube gedrückt und brauchte eine volle Stunde, bis ich sie wieder in der Tube hatte!“

Der Lehrer erklärt im Deutschunterricht, dass die Vorsilbe „un“ meist etwas Negatives bezeichnet.
Er nennt Beispiele: „Ungehorsam, Unsitte, ungezogen, untreu, ungeheuerlich, Unfrieden … Wer kann mir noch ein Beispiel nennen?“
„Unterricht, Herr Lehrer.“

Der Lehrer ganz leutselig: „Na, wie nennt man denn einen Menschen, der redet und redet, ohne dass ihm jemand zuhört oder sich überhaupt dafür interessiert, was er sagt?“
„Einen Lehrer, Herr Lehrer!“

„Herr Lehrer, kann man für etwas bestraft werden, was man nicht gemacht hat?"
„Natürlich nicht!"
„Super! Ich habe nämlich vergessen, meine Hausaufgaben zu machen!"

„Ich möchte dieses unschöne Wort aus deinem Mund nicht mehr hören!"
„Aber Mami, das ist doch von Goethe!"
„So? Dann verbiete ich dir ab sofort, mit ihm zu spielen!"

Der neuen Lehrerin sind die Namen ihrer Schüler zu lang. „Ich werde eure Namen abkürzen", sagt sie. „Anneliese ist Ann, Liselotte ist Lis, Elisabeth ist Els…"
Da steht ein Mädchen auf, verlässt das Klassenzimmer und schlägt die Tür zu.
„Was hat sie denn?", fragt die Lehrerin erstaunt.
„Sie heißt Klothilde!"

Der Chemieprofessor kommt nach Hause. Seine Frau erwartet ihn strahlend an der Tür: „Das Baby hat heute sein erstes Wort gesprochen!"
„So? Was hat es denn gesagt?"
„Heptolmentyltyminonatrochlorid!"

„Stimmt es, dass Lehrer bezahlt werden, Papa?“
„Ja, das stimmt.“
„Das ist aber ungerecht: Wir arbeiten, und sie bekommen das Geld dafür!“

Die Lehrerin beklagt sich bei der Mutter eines Schülers: „Es ist wirklich ein Kreuz mit Ihrem Sohn. Beim Diktat macht er immer wieder die gleichen Fehler!“
„Na ja“, sagt die Mutter, „wenigstens hat er ein gutes Gedächtnis!“

Der zerstreute Professor kommt stöhnend nach Hause. „Bitte ruf einen Arzt“, sagt er zu seiner Frau, „ich kann mich nicht mehr gerade aufrichten.“
Als der Arzt kommt, sieht er sich den völlig gekrümmten Professor genau an. Dann meint er: „Herr Professor, am besten lösen Sie erst mal den obersten Hosenknopf aus dem zweiten Knopfloch Ihrer Weste!“

Der Rechenlehrer in der ersten Klasse: „Wenn ich nun drei Eier auf den Tisch lege und zwei wieder wegnehme, wie viele bleiben dann übrig?“
Da fragt Tommi tief beeindruckt: „Können Sie wirklich Eier legen, Herr Lehrer?“

Der Lehrer erklärt seinen Schülern, dass man nicht sagen darf: Die Glocke tut läuten, sondern: Die Glocke läutet; oder: Der Hahn tut krähen, sondern: Der Hahn kräht. Nach einer Weile steht Markus mit schmerzverzerrtem Gesicht auf und stöhnt: „Herr Lehrer, kann ich mal raus, mein Bauch weht!“

Im Klassenzimmer herrscht ein Riesenlärm. Ärgerlich kommt der Rektor herein, schnappt sich den größten Schreihals und führt ihn an einem Ohr ab ins Lehrerzimmer.
Nach einer Weile kommt ein Schüler und fragt: „Herr Rektor, können wir jetzt unseren Lehrer wiederhaben?“

„Na, Fritz, wie sind deine Leistungen in der Schule?“
„Ausgeglichen, Tante Emma“, sagt Fritz. „Der Lehrer sagt immer: Was mir an Fleiß fehlt, gleiche ich durch Frechheit aus!“

Aus einem Schulaufsatz zum Thema „Das möchte ich einmal werden“:
„Ich möchte Pfarrer werden. Da hat man nur einmal in der Woche am Sonntagvormittag zu arbeiten. Und da ist sowieso nichts Gescheites im Fernsehen.“

„Man darf Tiere niemals küssen“, sagt warnend der Lehrer, „weil das sehr gefährlich ist wegen der Krankheiten, die dabei übertragen werden können. Kann mir jemand ein Beispiel nennen?“
„Ja. Herr Lehrer, ich. Meine Tante hat immer den Papagei geküsst.“
„Und?“
„Das Tier ist eingegangen.“

Lehrer: „Wie ist die Befehlsform von ‚schweigen‘?“
Schüler: „Pssst!“

„Wie heißt du?“, fragt der Lehrer den neuen Schüler.
„Herbert, ohne G.“
„Herbert ohne G? Aber Herbert schreibt man doch immer ohne G“, wundert sich der Lehrer.
„Das sag ich Ihnen ja schon die ganze Zeit!“

Im Religionsunterricht fragt der Pfarrer seine Schüler: „Wenn ihr meine Schäfchen seid, was bin dann ich?“
Ruft ein Schüler: „Der Leithammel!“

David weint schon den ganzen Vormittag, weil sein Hamster gestorben ist.
„Nun ist es aber langsam genug“, sagt der genervte Lehrer. „Als vor einem Jahr deine Großmutter gestorben ist, hast du nicht einmal eine Stunde geweint.“
Schluchzt David: „Die hatte ich ja auch nicht von meinem Taschengeld bezahlt!“

Schimpft der Lehrer: „Felix, weil dein Diktat so saumäßig schlecht war, habe ich dir doch aufgetragen, es zehnmal abzuschreiben. Du hast es aber nur sechsmal abgeschrieben, warum?“
„Weil ich im Rechnen auch so saumäßig schlecht bin.“

Bernd rast mit dem Rad über den Schulhof.
„Halt!“, ruft ihm ein Lehrer entgegen, „kein Licht, keine Klingel!“
„Aus dem Weg!“, ruft Bernd, „keine Bremse!“

Der Lehrer fordert die Kinder auf, einen Satz mit „liberal“ zu bilden.
Nach einigem Überlegen meldet sich Jonas: „Ich esse lieber Aal als Scholle.“

„Heute schreiben wir einmal einen Aufsatz ohne Thema, jeder schreibt einfach, was ihn bewegt, was so in ihm ist", sagt der Lehrer.
Nach zehn Minuten gibt Hannes sein Heft ab. Der Lehrer liest: „In mir ist ein Herz, eine Lunge, eine Leber und ein Blinddarm. Und dann noch ein Magen mit einem Butterbrot, einem Apfel und zwei Bonbons."

Frau Huber ruft die Lehrerin ihres Sohnes an: „Hören Sie bitte mal, Sie sollten Frank keine Rechenaufgaben mehr geben, in denen die Flasche Bier nur dreißig Cent kostet. Sein Vater konnte vor Aufregung die ganze Nacht nicht schlafen."

Franz steht schon die ganze Zeit in der Ecke des Zimmers. Fragt der Vater: „Warum stehst du eigentlich immer in der Ecke?"
„Ich spiele Schule", antwortet Franz.

„Ich kann wirklich nicht einsehen, dass mein Sohn in Deutsch eine Sechs verdient hat", sagt der Vater zum Lehrer.
„Ich auch nicht", antwortet dieser, „aber das ist die schlechteste Note, die ich vergeben kann."

Der Lehrer möchte wissen, wann die richtige Zeit für die Kirschernte ist.
Antwortet Peter: „Wenn der Bauer schläft und der Hund nicht im Garten ist."

Lehrer: „Max, stell dir vor, du bist mit einem Segelboot auf dem Meer, und der nächste Hafen ist zehn Meilen entfernt. Es kommt ein Sturm. Was würdest du tun?"
„Ich würde den Anker auswerfen", sagt Max.
„Gut, aber was ist, wenn ein neuer Sturm ausbricht?"
„Dann würde ich einen neuen Anker auswerfen."
„Und angenommen, noch ein furchtbarer Sturm würde ausbrechen?"
„Dann würde ich noch einen Anker auswerfen."
„Sag mal, Max", fragt der Lehrer, „wo nimmst du eigentlich die vielen Anker her?"
„Vom selben Platz, wo Sie Ihre ganzen Stürme herholen!"

„Herr Lehrer, ist der Stille Ozean immer still?", platzt Florian mitten im Unterricht heraus.
„Wenn du schon einfach so dazwischenrufst, dann frag wenigstens etwas Vernünftiges!"
„Ist gut. Also, woran ist eigentlich das Tote Meer gestorben?"

Der Lehrer hat den Kindern erklärt, dass der Mensch nach dem Tod wieder zu Staub wird.
Die kleine Maria kann das nicht so recht glauben und fragt deshalb ihre Mutter, ob das stimmt.
„Ja, es stimmt, nach dem Tod werden wir alle wieder zu Staub."
„Mami", meint da die Kleine, „dann ist unter meinem Bett jemand gestorben."

„Warum kommst du schon wieder zu spät?", fragt der Lehrer.
„Ich bin mit dem Rad gekommen."
„Das ist doch kein Grund, zu spät zu kommen, im Gegenteil!"
„Doch, da war ein Schild: ‚Achtung, Schule, bitte langsam fahren!'"

Der Vater hat ein Gerät, das Lügen anzeigt.
Er fragt Uli: „Was hast du heute im Diktat geschrieben?"
Uli: „Eine Eins." Das Gerät wackelt.
Uli: „Eine Zwei." Das Gerät wackelt.
Uli: „Eine Drei." Das Gerät wackelt.
Der Vater wird wütend und schreit: „Ich habe früher nur Einser geschrieben!" Das Gerät fällt um.

„Paul, wenn du bei der nächsten Mathearbeit eine gute Note hast, dann darfst du dir etwas wünschen."
Paul kommt tatsächlich mit einer Eins nach Hause.
„Was wünschst du dir denn nun?", fragt die Mutter.
„Einen Bernhardiner!"
„Hast du nicht auch einen bescheideneren Wunsch?"
„Okay, ich möchte einen Tag lang Papa spielen."
„Einverstanden."
Paul zieht sich Anzug und Schuhe des Vaters an und sagt zur Mutter: „Jetzt fahren wir in die Stadt und kaufen Paul einen Bernhardiner!"

Die kleine Anna nach dem ersten Schultag: „Mutti, was soll ich eigentlich in der Schule? Ich kann nicht lesen, nicht schreiben, und der Lehrer lässt mich nicht einmal reden!"

„Wie heißen die Elemente?", will der Lehrer wissen.
Alexander beginnt aufzuzählen: „Erde, Wasser, Feuer …"
„Na, und was?"
„Und Grog."
„Wieso Grog? Was ist denn das wieder für ein Unsinn!"
„Wenn mein Vater Grog trinkt, sagt Mutter immer: ‚Jetzt ist er wieder in seinem Element!'"

„Wie heißt du denn?", spricht ein Lehrer im Bus ein kleines Mädchen an.
„Laura!"
„Und wie alt bist du?"
„Ich bin sechs und gehe schon zur Schule."
Scherzt der Lehrer: „Ich bin neunundfünfzig und gehe auch noch zur Schule."
„So", grinst Laura verächtlich, „da musst du aber ganz schön dumm sein!"

„‚Der Ochs und die Kuh ist auf der Wiese.' Was ist an diesem Satz falsch?", fragt der Lehrer.
Susi meldet sich: „Die Kuh muss zuerst genannt werden, weil sie eine Dame ist."

Die Lehrerin will ihre Schüler zu Ehrlichkeit erziehen: „Nun sagt mir einmal ganz ohne Scheu: Wer von euch hat schon einmal etwas Verbotenes gemacht?"
Meldet sich der ewig schmutzige Felix: „Ich habe vor zwei Jahren an einer Stelle gebadet, wo das Baden verboten war."
„Und seither?", fragt die Lehrerin.
„Seither habe ich nicht mehr gebadet."

Moritz überlässt im Bus einer Frau mit Kind seinen Sitzplatz.
„Oh, du bist ja ein richtiger kleiner Gentleman“, bedankt sich die Frau.
In der Schule fragt der Lehrer: „Wer von euch kann mir sagen, was ein Gentleman ist?“
„Ich“, ruft Moritz. „Das ist einer, der eine Frau mit einem Kind sitzen lässt.“

Zur Verabschiedung der oberen Klassen findet ein Konzertabend statt. Nach der Pause kommt Alex in die Aula zurück und fragt eine schon wieder sitzende Schülerin: „Bin ich dir vielleicht vorhin beim Hinausgehen auf die Füße gestiegen?“
„Ja, du Trottel!“
„Prima“, grinst Alex, „dann bin ich hier in der richtigen Reihe.“

Erster Schultag in der Prärie. Die Lehrerin fragt den Sohn des großen Indianerhäuptlings: „Na, und wie heißt du?“
„Ich heiße: Kleiner-Vogel-der-singt-und-zwitschert-und-von-Ast-zu-Ast-fliegt.“
„Ein bisschen lang, dein Name“, sagt die Lehrerin. „Wie nennen dich deine Freunde?“
„Piep!“

„Mutti, geht der liebe Gott eigentlich aufs Klo?“
„Aber nein, mein Kind, wie kommst du denn darauf?“
„Heute Morgen, als ich gerade auf dem Klo saß, klopfte Papi an die Tür und sagte: ‚Oh Gott, bist du schon wieder drin?‘“

In der Lateinstunde: „Wenn beim nächsten Mal das Konjugieren nicht wie der Blitz vor- und rückwärts geht, lass ich euch alle nachsitzen.“
In der nächsten Stunde ruft der Lehrer Jan auf:
„So, nun mal los mit dem Präsens von ‚legere‘!“
„Lego, legis, legit, legimus, legitis, legunt.“
„Prima! Und nun das Ganze rückwärts.“
„Ogel, sigel, tigel, sumigel, sitigel, tnugel.“

Die Klasse macht eine Fahrt und ist mehrere Tage unterwegs. Am Abend steht die Lehrerin mit den Kindern bei sternenklarem Himmel auf einem Berg und schwärmt:
„Ist das nicht wunderbar? Das Licht der Sterne braucht Millionen Jahre, bis es zu uns kommt.“
„Wirklich herrlich“, pflichtet eine Schülerin bei, „vor allem wenn man bedenkt, dass das Licht trotzdem jeden Abend wieder pünktlich da ist.“

„Franz, wenn dein Vater in der Woche fünfhundert Euro verdienen würde und deiner Mutter davon ein Drittel geben würde, was würde dann deine Mutter bekommen?"
„Eine Herzattacke!"

Im Deutschunterricht werden gerade
berühmte Dichter besprochen.
Da meldet sich Leon aufgeregt: „Gestern
war die Straßenbahn voller Dichter."
„Woher willst du das bloß wissen?",
fragt der Lehrer erstaunt.
„Der Straßenbahnführer hat gerufen:
‚Alle Dichter zusammenrücken!'"

Der kleine Elias ist zufällig gerade dabei, als sich der Pfarrer beim Reparieren des Gartenzauns mit dem Hammer auf den Daumen haut. Für einen Moment hat es dem Pfarrer die Rede verschlagen, und bevor er den Mund aufmachen kann, hört er den kleinen Elias sagen: „Gell, Herr Pfarrer, jetzt müsste man halt fluchen dürfen!"

Wenn einer eine Reise tut

„Wenn ich über die Wiese laufe, schaffe ich dann den Zug um sieben noch?", fragt Michael den Bauern.
„Freilich", sagt der. „Und wenn dich mein Bulle entdeckt, dann schaffst du sogar noch den Zug um sechs!"

Im Bus sitzt ein Junge mit einer ziemlich triefenden Nase. Der vornehme Herr neben ihm meint: „Sag mal, Junge, hast du denn kein Taschentuch?"
„Schon", erwidert der Junge, „aber das verleihe ich nie!"

Jutta und Marion machen einen Ausflug. Plötzlich bleibt Marion stehen und erklärt: „So, ich gehe keinen einzigen Schritt weiter. Ich finde nämlich, dass das hier ein idealer Platz fürs Picknick ist."
„Hast Recht", meint Jutta. „Fünfhunderttausend Ameisen können sich nicht irren!"

„So eine Unverschämtheit! Seit einer Stunde sitzen wir hier und werden nicht bedient! Der Herr dort am Nebentisch kam gerade erst und wird sofort bedient. Ich will den Geschäftsführer sprechen, Herr Ober!"
„Tut mir leid", räuspert sich der Ober, „aber der Herr dort am Nebentisch ist der Geschäftsführer!"

Tief beeindruckt steht eine Reisegruppe am Kraterrand eines noch aktiven Vulkans. Schaudernd meint Mrs Miller aus den USA: „Das sieht ja aus wie die Hölle!“ Beeindruckt flüstert Frau Moser aus Oberbayern ihrem Mann ins Ohr: „Wo diese Amerikaner schon überall gewesen sind!“

Jonas macht Urlaub auf dem Bauernhof. Er will unbedingt dabei sein, wenn die Kuh ein Kälbchen bekommt. Er wartet schon seit Stunden im Kuhstall, aber das Kälbchen kommt und kommt nicht. Schließlich meint der Bauer zu Jonas: „Geh mal raus, so geht's nicht weiter. Jedes Mal, wenn die Kuh dich anschaut, meint sie nämlich, sie hätte schon gekalbt.“

Familie Pappenstiel ist begeistert vom Anblick einer großen Schafherde. Sie können sich gar nicht vorstellen, wie der Schäfer den Überblick behalten kann und dass er keine Schafe unterwegs verliert. Also fragen sie ihn, wie er das macht.
„Ganz einfach, ich zähle sie!“, meint der Schäfer.
„Das muss aber doch furchtbar schwierig sein!“
„Aber nein“, meint der Schäfer. „Ich hab da einen Trick: Ich zähle die Beine, teile dann durch vier und weiß sofort, wie viele Schafe ich habe!“

„Ich habe doch nur eine Wurst bestellt!“, beschwert sich Herr Grümmel im Wirtshaus auf der Alm. „Und jetzt bringen Sie mir zwei!“
„Tut mir leid“, sagt der Kellner. „Das kommt von dem großartigen Echo hier oben!“

Herr Hecht ist auf Geschäftsreise.
Abends im Hotel fragt ihn der Portier:
„Möchten Sie ein Zimmer mit
fließendem Wasser?“
Meint Herr Hecht: „Nein, danke, ich
heiße nur so!“

Nachts hebt der Tourist sein Zimmertelefon ab und brüllt hinein: „Sorgen Sie gefälligst für Ruhe! Bei diesem Lärm kann man unmöglich schlafen!“
„Selbstverständlich“, flüstert der Portier. „Ich werde der Feuerwehr sagen, dass sie leiser sein soll beim Löschen.“

Im Ferienheim gibt es Frühstück. Sagt Marie zu Klara:
„Der Kaffee schmeckt heute wie Spülwasser!“
Darauf Klara: „Das ist doch Tee!“
Ruft die Heimleiterin aus der Küche: „Noch jemand Kakao?“

Max hat im Schwarzwald eine Kuckucksuhr gekauft. Nach einigen Wochen muss er sie zum Uhrmacher bringen.
„Was ist denn kaputt? Klemmt der Kuckuck?"
„Nein, ganz im Gegenteil. Alle paar Minuten kommt er raus und fragt, wie spät es ist!"

Ein Tourist kriecht durch die Wüste. Nach Tagen erreicht er endlich eine Oase und wimmert: „Wasser! Wasser!"
Sagt ein Oasenbewohner: „Haben wir nicht! Wir haben nur Krawatten!"
Der Verdurstende robbt weiter, mit letzter Kraft. Wieder kommt er an eine Oase: „Wasser! Wasser!"
Sagt der Oasenbewohner: „Haben wir! Haben wir! Aber ohne Krawatte kommen Sie hier nicht rein!"

„Wir waren in Norwegen im Urlaub!", erzählt Roland ganz stolz.
Peter war auch schon einmal da und fragt Roland fachkundig: „Schön ist es dort, gell? Habt ihr auch die Fjorde gesehen?"
„Klar", meint Roland, „die kamen so nah ans Auto, dass wir sie füttern konnten!"

„Stell dir vor! Gestern haben wir den 2246 Meter hohen Patscherkofel bestiegen! Und das, nachdem wir vorher schon dreißig Kilometer gewandert waren!“
„Kunststück! Mit dem Anlauf kommt doch jeder auf den Berg!“

Zwei Freunde machen eine Radtour. Nach einiger Zeit hält der eine an und lässt die Luft aus den Reifen.
„Warum machst du das?“, fragt ihn der andere.
„Ganz einfach, mir war der Sattel zu hoch!“

Im Gebirge. Touristen haben einen bärtigen Alpenbewohner erwischt.
„Sagen Sie, waren Ihre Vorfahren auch Bergsteiger?“
„Woll, woll.“
„Und sind alle abgestürzt?“
„Woll, woll.“
„Ihr Großvater auch?“
„Woll, woll.“
„Und Ihr Vater. Auch abgestürzt?“
„Naa, der net.“
„Nein?“
„Naa, den ham die Touristen totg'redt.“

Thomas steht mit seiner Freundin am Strand.
„Schau nur", ruft sie ganz begeistert, „das viele, viele Wasser, bis zum Horizont!"
„Tja", meint Thomas, „und wenn man zudem bedenkt, dass man nur das sieht, was obendrauf ist!"

In einem Stau hupt ein Porschefahrer ununterbrochen. Beugt sich eine Frau aus ihrem Wagen und ruft hinüber: „Okay! Und was haben Sie sonst noch zu Weihnachten bekommen?"

Neue Urlaubspläne bei Familie Knäusel.
„Wohin fahren Sie denn heuer?"
„Wir wollen nach Sicht."
„Wo liegt denn das?"
„Keine Ahnung! Aber im Radio heißt es immer: ‚Schönes Wetter in Sicht!'"

Im Eisenbahnabteil streiten sich zwei Frauen, ob das Fenster geschlossen werden soll oder nicht.
Der dabeisitzende Anton versucht zu vermitteln: „Ich schlage vor, wir lassen das Fenster so lange zu, bis die eine erstickt ist, und dann öffnen wir es, bis die andere erfroren ist."

„Soll der Salat wirklich für zwei Personen sein?“, fragt der Gast den Kellner.
„Ja, mein Herr.“
„Und warum ist dann nur eine Schnecke drin?“

Herr Blaschke steigt in den vollen Zug, nimmt sein Glasauge heraus, wirft es in die Luft, sagt: „Prima“, steckt es ein und drängt sich nach vorne.
„Warum haben Sie das gemacht?“, fragt der Schaffner.
„Wollte bloß sehen, ob vorne noch ein Platz frei ist!“, sagt Herr Blaschke.

Kanadier sind harte Burschen. Eine Eishockeymannschaft fliegt nach Europa. Um die Zeit auszunützen, trainieren sie im Flugzeug.
Der Pilot lässt jedoch den Trainer holen: „Also, Leute, das geht nicht, das Flugzeug schwankt, es ist viel zu gefährlich!“
Der Trainer verschwindet, und nach einiger Zeit ist tatsächlich Ruhe.
„Wie haben Sie das hingekriegt?“, fragt später der Pilot den Trainer.
„Ganz einfach“, sagt der. „Ich habe den Puck zum Fenster hinausgeworfen und gesagt: ‚Spielt draußen weiter!‘“

Zwei Angler sitzen am Fluss und holen nacheinander ein Paar Schuhe, einen alten Stuhl und eine zerfetzte Hose aus dem Wasser.
Darauf der eine: „Komm bloß weg von hier!
Da unten wohnt einer!"

Zwei Irre brechen aus der Anstalt aus. Sie kommen an ein Eisenbahngleis und beschließen, immer diesen Weg entlangzugehen. Nach einiger Zeit stöhnt der eine: „Ich kann nicht mehr! Die Treppen, die Treppen!"
Sagt der andere: „Die Treppen gehen ja noch, aber das niedrige Geländer!"

In der Bar unterhalten sich zwei total Betrunkene.
„Ich heiße Martin."
„Ach, das ist ja gut. Ich auch."
„Ich wohne in der Wörthstraße 8."
„Ach, das ist ja gut. Ich auch."
„In der dritten Etage."
„Ach, das ist ja gut. Ich auch."
„Links!"
„Ach, das ist ja gut. Ich auch."
Daraufhin der Barkeeper zu anderen Gästen: „Jeden Samstag das Gleiche. Das sind Vater und Sohn, die saufen, bis sie sich nicht mehr kennen!"

Ein Herr ruft im überfüllten Badeort an: „Ich brauche dringend ein Zimmer, und wenn es noch so klein ist!"
Erwidert die Dame am Empfang: „Wir werden sehen, was sich machen lässt! Geben Sie uns für alle Fälle Ihre genauen Körpermaße durch!"

Tief im finsteren Busch stößt ein Forscher auf einen Ureinwohner, der mit ekstatischen Zuckungen eine riesige Trommel in wildem Rhythmus bearbeitet.
Der Forscher schaut eine Weile interessiert zu und fragt dann während einer Atempause: „Warum trommelst du eigentlich?"
„Wir haben kein Wasser!", erklärt der Trommler.
„Aha, und nun rufst du die Götter um Regen an?"
„Quatsch", knurrt der Ureinwohner, „ich rufe den Klempner aus dem Nachbardorf."

Mit heraushängender Zunge kommt Lars auf den Bahnsteig gestürmt: „Um Gottes willen – werde ich den Zug nach Schweinfurt noch erwischen?"
Der Bahnhofsvorsteher mustert Lars von oben bis unten.
Dann meint er: „Das hängt davon ab, wie viel Kondition du noch hast; abgefahren ist er vor achtzig Sekunden."

In der Ferienpension beschimpft der Gast den Ober: „Dieses Schnitzel ist ein Saufraß! Absolut ungenießbar!“
„Oh, das tut mir aber leid“, sagt der Ober. „Vielleicht darf ich Ihnen dafür eine Rindsroulade bringen?“
„Ja, geht das? Ich habe schon ein Stück von dem Schnitzel gegessen!“
„Das macht gar nichts“, sagt der Ober. „Wir haben auch angefangene Rindsrouladen in der Küche.“

Begegnen sich zwei Jäger in der Mongolei. Sagt der eine stolz: „Gestern habe ich zwei riesige Bären erlegt!“
Der andere ganz neidisch: „Ich habe keinen einzigen erlegt. Wie machst du das nur?“
„Ganz einfach. Du stellst dich vor ein großes Loch, pfeifst hinein, und wenn der Bär rauskommt, schießt du.“
Nach einigen Tagen treffen sich die beiden Jäger wieder, doch jener Jäger, dem der gute Tipp gegeben wurde, ist völlig zerschunden und eingebunden.
Der andere fragt: „Hast du meinen Rat denn nicht befolgt? Hast du dich nicht vor ein großes Loch gestellt und gepfiffen?“
„Doch“, erwidert der Zerschundene.
„Und was kam raus?“
„Die Transsibirische Eisenbahn.“

Kurz vor der Landung auf dem Mond meldet das US-Raumschiff: „Die Russen sind bereits hier und streichen den Mond rot an. Was sollen wir machen?“
Bodenstation: „Abwarten, ihr bekommt bald eure Befehle.“
Nach einigen Stunden fragt die Besatzung wieder an: „Der Mond ist jetzt ganz rot, habt ihr euch etwas ausgedacht?“
„Ja, nehmt weiße Farbe und schreibt ‚Coca-Cola‘ drauf.“

Ein Mann hört auf der Autobahn eine Durchsage des Verkehrsfunks: „Bitte, fahren Sie am äußersten rechten Fahrbahnrand und überholen Sie nicht! Es kommt Ihnen ein Fahrzeug entgegen!“
Empört sich der Mann: „Eins? Hunderte!“

Tina übernachtet in einem uralten Schloss. Nachts, wenn sie über die langen Gänge muss und hört, wie die Balken knarren und der Uhu schreit, gruselt es sie doch ein bisschen. Gott sei Dank trifft sie einen alten Mann. Den fragt sie: „Gibt es in diesem Schloss auch wirklich keine Gespenster?“
„Aber nein, mein Kind“, sagt der Alte. „Jetzt schwebe ich schon fünfhundert Jahre hier herum und habe noch keines gesehen!“

Eine Nonne steht am Straßenrand und trampt. Nach längerer Zeit hält ein Manta-Fahrer an.
„Das ist aber nett, dass Sie mich mitnehmen."
„Kein Problem", sagt der Manta-Fahrer. „Batmans Freunde sind auch meine Freunde!"

Erzählt Herr Brause ganz aufgeregt seiner Frau: „Du, unser Nachbar, der Knäusel, ist von der Zugspitze abgestürzt!"
Meint Frau Brause trocken: „Was hat der auch oben auf der Lokomotive zu suchen?"

„Hör'n Sie mal", sagt der Fremde zum Einheimischen. „Ich will zwar nicht sagen, dass euer Dorf ein Kaff ist, aber viel fehlt da nicht mehr. Überall liegen Steine herum und Blechbüchsen und Papier!"
„Ja", antwortet der Einheimische und kratzt sich am Kopf. „Das kommt vom Wildbach. Der schleppt das alles her. Die Steine und so weiter."
„Wildbach? Wo is 'n da überhaupt ein Wildbach?"
„Der Wildbach?", antwortet der Einheimische. „Ach so. Der wird jetzt vielleicht oben am Berg sein, Steine holen."

Herr und Frau Schmittchen machen eine Kreuzfahrt. Eines Morgens kommt Frau Schmittchen aufgeregt in die Kabine gestürzt, rüttelt ihren Mann wach und schreit: „Emil, aufwachen, das Schiff sinkt!"
„Na und?", knurrt Schmittchen. „Ist doch nicht unser Schiff!"

In einem Zug sitzen sich ein Soldat und eine ältere Dame gegenüber. Er kaut unentwegt Kaugummi. Schließlich nimmt sich die ältere Dame ein Herz: „Junger Mann, es ist zwecklos, auf mich einzureden, ich bin schwerhörig."

„Na, Frau Zippl, welche Eindrücke hat denn Ihre Evi vom Zeltlager mitgebracht?", will die Nachbarin wissen. „Eindrücke sind mir nicht bekannt", gibt die Mutter Auskunft, „aber die Ausdrücke sind entsetzlich!"

Anne nimmt Reitunterricht. Der Schimmel setzt sich in Trab. Anne rutscht aus dem Sattel immer weiter nach hinten. Nun galoppiert das Pferd, und Anne rutscht immer weiter bis zum Schweif. Da schreit sie: „Schnell, ein anderes Pferd, das hier ist zu Ende!"

In einem entlegenen Alpental sehen zwei Bauern zu, wie ein Tourist aus der Stadt sich abplagt, seine Suppe mit einem verstopften Salzstreuer zu würzen. Schließlich wird es dem Mann zu dumm, er nimmt einen Zahnstocher und reinigt die Löcher.
Sagt der eine Bauer zum anderen: „Mei, ich kann zwar die Leut' aus der Stadt nicht leiden, aber eines muss man zugeben – technisch überlegen sind sie uns schon!"

Leo fährt nach London und verliert auf einer Straße seine Brieftasche. Er meldet den Verlust auf dem nächsten Polizeirevier und fährt nach Hause.
Als er nach einiger Zeit wieder nach London kommt, ist die Straße, auf der er seine Brieftasche eingebüßt hat, eine einzige riesige Baustelle.
Meint er verblüfft zu sich selbst: „Na, das wär nun aber wirklich nicht nötig gewesen!"

Sie liegen am Ufer des Baggersees. Der ganze Nachmittag war ein einziger Kampf gegen die Mücken. Es dämmert. Da tauchen Glühwürmchen auf.
Frank rafft seine Decke zusammen und sagt: „Ich hau ab. Jetzt haben sich die Biester auch noch Taschenlampen geholt!"

Die kleine Lena ist zum ersten Mal auf dem Land und sieht am Abend der Bäuerin zu, wie die ein Huhn rupft. „Tante“, fragt Lena, „ziehst du die Hühner jeden Abend aus?“

Peter hat ein riesiges Stück Limburger zur Brotzeit in die Schreinerei mitgenommen. Im Laufe des Vormittags beginnt der Käse zu „laufen“.
„Macht nix“, sagt Peter zu seinem Käse. „Schau dich hier nur ein bisschen um. Aber zur Brotzeit bist du mir wieder da. Klar?“

Ein Zauberer, der an einer Kreuzfahrt als Unterhalter teilnimmt, hat einen Papagei mit an Bord gebracht, der ihm jede Nummer verpatzt. „Karte steckt in der Tasche“, krächzt er vor dem versammelten Publikum. Oder: „Karte steckt im Ärmel!“
Eines Tages gibt es eine Explosion und das Schiff geht unter. Zauberer und Papagei retten sich auf einen Balken. Vier Tage lang treiben sie im Meer, und vier Tage lang starrt der Papagei den Zauberer wortlos an.
Endlich sagt der Papagei: „Gut, ich gebe auf. Wie hast du das Schiff verschwinden lassen?“

Der Afrikareisende berichtet zu Hause: „Ich war in einem Teil der Wüste, der noch nie von einem Europäer betreten worden ist. Plötzlich werde ich von Marokkanern umzingelt. Vor mir Marokkaner, hinter mir Marokkaner, neben mir Marokkaner …"
„Um Gottes willen, und was haben Sie getan?"
„Ich habe den Teppich natürlich gekauft!"

Louis darf Ferien auf dem Bauernhof machen. Der Bauer zeigt ihm den Stall, wo die Kühe gemütlich wiederkäuend im Stroh liegen.
Louis: „Sagen Sie mal, kommt Sie das auf Dauer mit den vielen Kaugummis nicht ein bisschen teuer?"

Ein kleiner Mann müht sich im Zug vergeblich mit der Notbremse ab. Steht ein starker Mann auf, zieht an der Notbremse und sagt verächtlich: „Muskeln muss man haben!"
Kommt der Schaffner rein und verlangt wegen missbräuchlicher Betätigung der Notbremse hundert Euro von dem starken Mann.
Meint der Kleine: „Ja, nicht Muskeln, sondern Köpfchen muss man haben."

„Wie komme ich am sichersten durch den Urwald?“, fragt ein Tourist einen Eingeborenen.
„Als Löwe“, antwortet der Eingeborene.

An der Grenze fragt der Zöllner: „Cognac? Whisky? Zigaretten? Tabak?“
Herr Dorsch ist irritiert: „Nein, danke! Aber wenn ich ein Glas Milch bekommen könnte…“

Fritze Zummsl ist in eine Gletscherspalte gestürzt. Als ihn der Suchtrupp endlich findet, streckt einer der Retter den Kopf über den Spaltenrand und ruft in die Tiefe hinunter: „Hallo! Hier ist das Rote Kreuz!“
Fritze Zummsl ruft von unten herauf: „Ich gebe nichts!“

Sturmflut an der Nordsee. Die Halligen melden „Land unter“. Auf einem Scheunendach hocken Fiete und Lars und starren in die trübe Flut.
„Kiek mol, Fiete“, ruft plötzlich Lars. „Da am Deich schwimmt ja eine Schippermütze auf dem Wasser!“
Fiete guckt sich das lange an und meint: „Die schwimmt da nicht, Lars. Das ist Jens Harmsen. Der mäht bei jedem Wetter seine Wiese.“

Ein Fernfahrer macht in einer Raststätte Pause. Kommen zwei Rocker in Motorradkluft herein, ziehen ihm die Serviette durch die Suppe, beschmieren seine Haare mit Senf, stülpen ihm den Zuckernapf über den Kopf und bekleckern sein Hemd mit Ketschup. Der Fernfahrer zahlt seine Rechnung und steht auf. Danach verlässt er ungerührt das Lokal.
Fragen die Rocker total verstört den Kellner: „Was war denn das für 'n Typ?"
Antwortet der Kellner: „Wirklich ein seltener Idiot! Und Auto fahren kann er auch nicht! Eben hat er zwei Motorräder beim Rückwärtssetzen zu Schrott gefahren!"

Ein Gast ruft: „Herr Ober, geben Sie mir bitte einen Zahnstocher!"
„Tut mir leid, zurzeit sind alle besetzt."

Sagt der Kapitän des Flugzeugs über dem Atlantik: „Wir müssen in wenigen Minuten notlanden. Wir wünschen allen Schwimmern eine gute Weiterreise und verabschieden uns hiermit von den Nichtschwimmern …!"

Der norddeutsche Sommerurlauber ist zum ersten Mal im Gebirge. Nach ein paar Tagen sagt er zu seinem Landsmann: „Die Gegend ist ja gar nicht so übel, aber immer, wenn man etwas sehen will, kommt so ein blöder Berg dazwischen!"

Rennt ein Typ zum Bahnhof, wirft sich auf eine Schiene und versucht, ein Stück davon abzubeißen.
„Lass das, Mann!", sagt der Stationsvorsteher. „Du musst weiter nach vorne gehen. Da ist eine Weiche!"

„Kein Grund zur Aufregung!", sagt der Pilot, der mit dem Fallschirm auf dem Rücken durch das Flugzeug rennt. „Ich springe jetzt ab und hole Hilfe."

Ein Betrunkener tastet nachts auf der Straße alle Autodächer ab.
Er lallt: „Wo issen mein Auto? Wo isses denn?"
Fragt ihn ein Passant: „Sie suchen Ihr Auto? Na, so werden Sie es wohl nie finden!"
Meint der Betrunkene: „Denkste, Mann! Ich hab nämlich oben ein Blaulicht dran, hicks!"

Städtische Kunstgalerie. Lauter Kulturfreaks stehen herum. Plötzlich taucht ein nackter Mann auf. Die anderen schauen blöd.
Schon marschiert ein Wächter los und ruft: „So können Sie hier doch nicht herumlaufen!“
„Warum nicht? Da stehen doch lauter nackte Statuen!“
„Ja schon. Aber die sind aus Bimsstein.“
„Na und? Ich bin aus Traunstein.“

„Wir waren in den Ferien auf einem Bauernhof. Dort hatten sie den faulsten Hahn Europas. Wenn die anderen Hähne im Dorf krähten, nickte der nur zustimmend mit dem Kopf.“

Wie wurde das Jodeln erfunden?
Zwei Chinesen machten eine Bergtour. Da fiel ihr Radio dummerweise in eine Schlucht. Sagte der eine Chinese zum anderen: „Holdudiladio!“

Der Verkehrspolizist hält eine Autofahrerin an: „Was fällt Ihnen ein, mit siebzig durch die Ortschaft zu rasen!“
„Aber Herr Wachtmeister! Glauben Sie mir, es ist wirklich nur der Hut, der mich so alt macht!“

Zwei Männer sitzen im Zugabteil. Der eine schaut verwundert zu, wie der andere Apfelkerne isst. Nach einer Weile fragt er schüchtern: „Warum essen Sie denn diese Apfelkerne?“
„Damit ich klüger werde!“
„Kann ich auch ein paar Kerne haben?“
„Klar, aber das Stück für einen Euro!“
Der erste zahlt und fängt an zu kauen. Hinterher meint er: „Mann, für das Geld hätte ich ja mindestens zwei Kilo Äpfel kaufen können!“
„Sehen Sie? Es wirkt schon!“

„Und was können Sie uns heute empfehlen, Herr Ober?“
„Schnecken, mein Herr. Schnecken sind die Spezialität unseres Hauses.“
„Ich weiß. Wir sind letztes Mal bereits von einer bedient worden!“

Auf einer Großwildsafari treffen sich zwei Jäger. Fragt der eine: „Was machst du, wenn du im offenen Jeep durch den Busch fährst und dir ein Löwe nachjagt?“
„Ich verwirre ihn einfach! Ich blinke links, biege aber rechts ab!“

Es herrscht dichter Nebel. Ein Autofahrer klebt förmlich an den Rücklichtern seines Vordermannes. Der bremst plötzlich, und es gibt einen Auffahrunfall.
Wütend brüllt der Hintermann los: „Wieso bremsen Sie denn so idiotisch!“
„Und was haben Sie in meiner Garage zu suchen?“

In der Wüste fragt der Fahrer eines Jeeps einen Beduinen: „Wie komme ich ins nächste Dorf?“
Antwortet der Beduine: „Immer geradeaus, und nächste Woche biegen Sie links ab!“

Ein Engländer, ein Ire und ein Schotte beschließen, einen Ausflug zu machen.
„Ich bringe ein schönes Picknick-Paket mit“, sagt der Engländer.
„Fein!“, sagt der Ire. „Und ich einen Kasten Bier!“
„Fein!“, sagt der Schotte. „Und ich meinen Bruder!“

„Wie war’s denn im Urlaub? Hattet ihr gutes Wetter?“
„Na ja, es ging. Es hat nur zweimal geregnet. Zuerst vierzehn Tage lang und dann noch einmal drei Wochen.“

An der Tankstelle hält ein Kleinwagen. Der Fahrer ruft den Tankwart: „Ich hätte gerne einen Liter Benzin und einen Zehntelliter Öl, bitte!“
„Kein Problem, mein Herr. Soll ich Ihnen vielleicht auch noch kurz in den Reifen husten?“

„Unser Bruder macht uns große Sorgen.“
„Ach nee!“
„Ja. Er ist gerade mit seinem Segelboot im Mittelmeer unterwegs. Gestern kam eine Karte. Darauf stand: ‚Ich liege an Deck in der Sonne und habe Zypern im Rücken!‘“
„Na und?“
„Jetzt können wir nur hoffen, dass er dieses Zypern loskriegt und bald wieder gesund wird!“

Schneller, höher, weiter!

Tina nimmt Reitunterricht. Sie darf zum ersten Mal über eine Hürde springen. Es funktioniert allerdings nicht so richtig. Das Pferd bleibt nämlich vor dem Hindernis ruckartig stehen, und Tina segelt mit Schwung auf die andere Seite.
„Gar nicht so übel“, meint der Toni. „Nächstes Mal darfst du nur nicht vergessen, auch das Pferd mit hinüberzunehmen!“

Länderspiel. Alle Karten sind verkauft und noch viel mehr. Achtzigtausend Leute passen ins Stadion, hundertsechzigtausend waren drin.
„Und, wie war das Spiel?“, wird einer der glücklichen Kartenbesitzer gefragt.
„Keine Ahnung. Ich stand irgendwie verkehrt herum und hatte nicht mal die Chance, mich umzudrehen.“

Beim Angeln fällt Ben in den See. Anstatt ans Ufer zu schwimmen, zappelt er nur und schreit herum, bis ihn endlich jemand an Land zieht.
Der Retter fragt ihn: „Warum bist du denn nicht geschwommen?“
Darauf Ben: „Da steht doch ‚Schwimmen verboten‘!“

Tom das Stürmerass, hat Muffensausen.
„Mensch, Trainer, morgen muss ich gegen den Vorstopper Eisenfuß spielen. Der Kerl tritt gegen alles, was sich bewegt!"
„... dann bist du ja fein heraus!", sagt der Trainer.

Corinna stürzt ins Restaurant des Segelklubs.
„Ich brauch sofort was zu essen! Ich muss schnell wieder weg!", ruft sie schon an der Tür.
„Ja, dann nehmen Sie mal diese Fischbrötchen. Die müssen auch schnell weg!", meint der Ober.

„Unsere Leichtathletikabteilung ist der müdeste Verein der Welt. Und von allen bist du der langsamste Schleicher!"
Der Trainer lässt an seinen Männern kein gutes Haar, so enttäuscht ist er.
„Trainer, das darfst du nicht sagen", verteidigt sich Moritz. „Hinter mir waren mindestens noch drei oder vier andere Läufer!"
„Ach, Mensch! Die waren doch schon vom nächsten Rennen!"

Die Mannschaft hat in der laufenden Saison erst drei Tore geschossen und steht mit 0:20 Punkten am Ende der Tabelle. Natürlich ist nur der Trainer schuld. Darum wird er entlassen.
Der neue Trainer besieht sich stumm das nächste Punktspiel der Mannschaft. Natürlich hat man jetzt 0:22 Punkte.
Beim nächsten Training holt er seine Herrschaften zusammen und sagt: „Leute, hört mal gut zu: Wir müssen jetzt ganz von vorne anfangen. Also: Dieses kleine, lederne, runde Ding da, das ist der Ball ...“

Ein Fallschirmjäger der italienischen Armee springt aus dem Flugzeug, doch sein Fallschirm öffnet sich nicht. Er zieht an allen Leinen, es ist nichts zu machen. In seiner Verzweiflung ruft er den heiligen Antonius an.
Eine riesige Hand kommt aus einer Wolke und hält ihn im Vorbeifallen fest.
„Antonius, schön und gut, aber welchen Antonius rufst du?“
„Den heiligen Antonius von Padua“, sagt der entsetzte Mann.
„Tut mir leid, der bin ich nicht“, sagt die Stimme. Und die Hand öffnet sich wieder.

Kunde im Sportgeschäft: „Ich habe ein Pferd geerbt und brauche jetzt eine passende Hose. Führen Sie so etwas?"
„Selbstverständlich. Welche Größe hat denn das Tier?"

Herr Grümmel fragt seinen Nachbarn: „Was ist Ihr Sohn eigentlich von Beruf?"
„Boxer!"
„Ah, deshalb macht er immer einen so niedergeschlagenen Eindruck!"

Fragt ein Sportreporter den Fußballer: „Und was empfinden Sie, wenn Ihre Mannschaft gewinnt?"
„Kann ich Ihnen leider nicht sagen, ich bin erst zwei Jahre bei diesem Verein!"

In der Hölle wird es langweilig. Also ruft der Teufel im Himmel an und schlägt vor, ein Fußballspiel zu machen.
„Nichts dagegen", meint Petrus. „Aber ich muss euch darauf aufmerksam machen, dass alle ehemaligen Fußballprofis bei uns oben sind. Die waren da unten nämlich alle Heilige."
„Kann schon sein", grinst der Teufel satanisch. „Aber wir haben hier alle Schiedsrichter!"

Im Zirkus tritt der Messerwerfer auf. Das hübsche Mädchen stellt sich an die Bretterwand. Der Artist schleudert das erste Messer dicht über ihren Kopf, das zweite knapp links von ihrem Kopf und das dritte knapp rechts vom Kopf. Da erklingt eine enttäuschte Stimme aus dem Publikum: „Schon wieder daneben!"

Der Polizist hält einen Radfahrer an und beginnt zu notieren: „Kein Scheinwerfer – zwanzig Euro, kein Rücklicht – zehn Euro, keine Klingel – fünf Euro. Macht zusammen fünfunddreißig Euro!"
Da dreht sich der Radfahrer grinsend um und sagt: „Sehen Sie mal, da kommt das Geschäft Ihres Lebens!"
„Wieso?"
„Na, da kommt doch einer ohne Fahrrad!"

Herr Grümmel und Herr Knäusel tauschen ihre Erfahrungen mit Glücksspielen aus.
Fragt Herr Grümmel: „Wie kommt es, dass Sie beim Kartenspielen immer gewinnen und beim Pferderennen immer verlieren?"
Antwortet Herr Knäusel: „Na, versuchen Sie doch mal, ein Pferd im Ärmel zu verstecken!"

Nico ist ein begeisterter Angler. Mit einer dicken Backe sitzt er am Mühlbach und hängt seine Angel ins Wasser. Da kommt sein Freund August vorbei und warnt: „Bist du denn verrückt! Mit einer geschwollenen Backe am Wasser! Da kannst du dir ’ne üble Nebenhöhlenentzündung holen!“

„Das ist keine geschwollene Backe“, erklärt Nico. „Da hab ich meine Würmer drin!“

Stolz präsentiert Maria ihr neues Schlauchboot. Max meint dazu: „Damit kannst du doch nicht ins Wasser. Das hat ja mindestens zwanzig Löcher!“ Meint Maria: „Ach was, sieht doch keiner! Die Löcher sind doch alle unter Wasser!“

Jan erzählt seinen Freunden voller Stolz: „Gestern habe ich im Wettrennen den ersten Preis gewonnen!“

„So?“, fragt einer etwas verwundert. „Deine Mutter sagte aber, du warst Vierter!“

„Stimmt schon“, gibt Jan zu, „aber ich hatte vorher noch keinen.“

„Mein Mann kommt vom Angeln immer furchtbar nervös zurück!“, klagt Frau Grümmel ihrer Nachbarin.
„Verstehe ich nicht“, meint die. „Ich denke, Angeln beruhigt?“
Frau Grümmel: „Im Prinzip schon, aber nur, wenn man einen Angelschein hat!“

Uli trifft Philip, der vollständig erledigt ist. Er fragt ihn, was denn los sei.
„Wir haben Tennis gespielt“, keucht Philip. „Du kannst dir nicht vorstellen, was das für ein Hin- und Hergerenne war!“
„War's so schlimm?“
„Ja, wir hatten nämlich nur einen Schläger!“

Herr Müller sitzt als Zuschauer am Boxring. Neben ihm sitzt ein Herr, der sich bei jedem Treffer unheimlich freut. „Boxen ist doch ein toller Sport“, sagt er begeistert zu Herrn Müller.
„Wieso? Sie sind wohl auch Boxer?“
Antwortet der andere: „Nein, aber ich bin der einzige Zahnarzt hier am Ort.“

Robbi kommt etwas angeschlagen vom Spielen nach Hause. Seine Mutter ist entsetzt: „Wo hast du dich denn schon wieder rumgetrieben? Du hast ja zwei Zähne verloren!“
Robbi kann sie beruhigen: „Nee, nee, Mami, ich hab sie in der Tasche.“

„Ist das der Berg, auf den einst ein Bergsteiger stieg und nie mehr zurückkehrte?“
„Freilich!“
„Weiß man, was aus ihm geworden ist?“
„Ja, er ist auf der anderen Seite abgestiegen!“

„He, Sie da“, mosert der Polizist, „hier dürfen Sie nur mit Erlaubnis angeln!“
Angler: „Danke für den Tipp! Bisher habe ich es immer mit Würmern probiert!“

„Gestern ist mir etwas Komisches passiert! Ich war auf der Pferderennbahn und bückte mich gerade, um mir den Schuh zu binden, da kam einer von hinten und legte mir einen Sattel auf den Rücken …!“
„Na und?“
„Dritter bin ich geworden!“

Ein Radfahrer fährt einen alten Mann um. Er hilft ihm auf und sagt: „Da haben Sie aber Glück gehabt, Opa, dass ich heute meinen freien Tag habe.“
„Warum?“
„Weil ich sonst mit dem Bus fahre.“

„Seit Daniel zum Geburtstag Wasserskier bekommen hat, ist er mit den Nerven völlig fertig!“
„Wieso denn das?“
„Na, seit drei Wochen sucht er verzweifelt einen abschüssigen See!“

Der verletzte Boxer wird ins Krankenhaus gebracht. Aber die Narkoseschwester wird nicht so leicht fertig mit ihm. „Herr Doktor“, jammert sie, „der Patient ist noch immer nicht betäubt, er zählt immer nur bis acht, und dann springt er wieder auf.“

Herr Meier kommt heute besonders spät zum Kegeln.
„Was war denn los?“, fragen seine Kollegen.
„Ich hab es heute einer Münze überlassen, ob ich herkomme oder lieber mit meiner Frau ausgehen soll.“
„Ja, und?“
„Ich musste vierzehnmal werfen.“

Fragt Peppino seinen italienischen Onkel: „Stimmt es, dass du ein Superschwimmer bist?"
„Und ob! Schließlich habe ich zehn Jahre in Venedig als Laufbursche gearbeitet!"

Herr Lustig nimmt seinen Jüngsten mit auf den Fußballplatz. Damit er besser sehen kann, setzt er sich den Kleinen auf die Schulter. Das geht eine Zeit lang gut, dann nimmt er ihn mit einem Ruck herunter und schreit ihn an.
„Warum brüllen Sie denn Ihr Kind an?", empört sich ein Nachbar.
„‚Tor' schreien, das kann er, aber ‚Pipi' sagen, dazu reicht's nicht!"

»Kann ich Ihrem neuen Ruderklub beitreten?«
»Ja, aber nur, wenn Sie schwimmen können.«
»Warum das?«
»Wir haben noch keine Boote!«

Wisst ihr, warum Ostfriesen mit Schwimmflossen und Schnorchel in die Disco gehen?
Sie wollen in der Menge untertauchen!

Bei Heinrich Heiningen haben sie eingebrochen. Doch Heinrich Heiningen ist Bezirksmeister im Langstreckenlauf. Natürlich ist er dem Täter sofort wie ein Blitz nachgezischt.
„Haben Sie den Kerl erwischt?“, fragt später die Polizei.
„Was heißt da erwischt?“, sagt Heinrich Heiningen stolz.
„Ich habe ihn überholt. Und wie ich mich dann umgedreht habe, war er weg.“

Der Lehrer erwischt Alexander, wie er gerade im Fußballstadion verschwinden will. „Du kamst nicht in die Schule, weil du angeblich deinen Onkel im Krankenhaus besuchen musstest, und nun treffe ich dich hier.“
„Ich muss schon noch ins Krankenhaus. Mein Onkel ist nämlich heute der Schiedsrichter.“

Grün und blau geschlagen, die Augen dick angeschwollen, so wankt Rambo in seine Ecke. Aber noch ist seine Moral unerschüttert.
„Er ist kaum durchgekommen“, flüstert er seinem Trainer zu.
„Dann pass jetzt mal auf den Ringrichter auf“, rät der Trainer. „Irgendeiner muss es ja sein, der dir die Prügel verpasst hat.“

Ein Freizeitjäger kommt zu seiner Frau mit einem Hasen, an dem noch das Preisschild aus dem Laden hängt. Sagt seine Frau: „Weißt du, Egon, es wäre besser, wenn du mich in Zukunft die Hasen kaufen lässt, ich bekomme sie billiger. Schieß du doch lieber den Rotkohl!“

In einer Trainingspause schreibt der Jogger sein Testament: „Wenn ich tot bin, soll man mich einäschern, die Asche bitte ich in eine Sanduhr zu tun. Dort will ich weiterlaufen.“

Ziemlich angeschlagen hängt der Boxer in seiner Ecke und wartet auf den Gong zur neuen Runde. „Weißt du was?“, rät der Trainer. „Wenn der andere jetzt wieder zuhaut, schlägst du einfach zurück!“

Zwei Marathonläufer sind kurz vor dem Ziel auf gleicher Höhe. Da wirft sich der eine mit einem gewaltigen Sprung ins Ziel und gewinnt.
„Eine unglaubliche Leistung“, lobt der Sportreporter. „Wie war das nur möglich?“
Der Läufer bescheiden: „Ach, halb so wild! Bei einem so langen Anlauf ...!“

Evi hat beim Schlittschuhlaufen das Heimgehen ganz vergessen.
„Lauf schnell heim", rät die Freundin.
„Nein", sagt die schlaue Evi, „wenn ich jetzt heimkomme, schimpft die Mutti. Wenn ich aber warte, bis es dunkel ist, ist sie froh, wenn sie mich wiederhat."

Warum nehmen die Ostfriesen ein Messer, wenn sie Tischtennis spielen?
Damit sie die Bälle besser anschneiden können.

Stefan geht zum Schiedsrichter und erkundigt sich:
„Herr Schiedsrichter, wie heißt Ihr Hund?"
„Ich habe keinen Hund", antwortet der Unparteiische.
„Schlimm, schlimm", sagt Stefan. „Blind, taub, und dann noch nicht mal einen Hund …!"

Heidi fragt Elisabeth: „Wie war's denn beim Turnier?"
„Nicht so gut. Mein Pferd war zu höflich", antwortet Elisabeth.
„Wie meinst du das, zu höflich?"
„Bei jedem Hindernis ließ es mich vorspringen."

Großes Fußballmatch. Der schöne Leo bekommt eine vors Schienbein geknallt. Zuerst rollt er fünfmal um die eigene Achse, dann krümmt er sich eindrucksvoll am Boden, zuletzt humpelt er mit leidender Miene vom Platz.
„Jetzt weiß ich nicht", sagt der Trainer, „soll ich die Sanitäter rufen oder einen Theaterkritiker?"

„Hat denn mein Gegner nicht eine schwache Stelle?", fragt der Boxer während der Ringpause seinen Trainer.
„Doch, eine hat er."
„Welche?"
„Immer, wenn du am Boden liegst, lockert er seine Deckung."

Max nimmt an einem Fallschirmspringerkurs teil. Als er aus dem Flugzeug springen will, schreit der Trainer: „Halt, halt! Du verdammter Trottel! Du hast ja keinen Schirm!"
„Wieso?", fragt Max. „Regnet es draußen?"

Warum fahren erfolglose Fußballspieler immer mit hundertfünfzig Sachen durch geschlossene Ortschaften?
Damit sie wenigstens in Flensburg Punkte bekommen.

Hanna führt Fahrradkunststücke vor.
„Schau, Mami! Ohne Hände!“, ruft sie.
Etwas später: „Schau, Mami! Ohne Füße!“
Dann macht es „tschirr-bum“.
„Schau, Mami!“, sagt Hanna. „Ohne Zähne!“

Das Fußballspiel ist aus, und alle drängeln sich aus dem Stadion. Fritz steigt einfach über den hohen Zaun.
Da schimpft der Platzordner: „He, Junge, kannst du nicht da rausgehen, wo du reingekommen bist?“
Antwortet Fritz: „Tue ich ja!“

Familie Kräusel geht zum ersten Mal zum Pferderennen. Sie setzen auf das Pferd, das am besten aussieht. Es ist eine totale Niete, und die Kräusels verlieren.
Sagt Herr Kräusel: „Macht ja nichts, eigentlich hätten wir sowieso keinen Platz für das Tier gehabt!“

In der Gymnastikstunde erklärt der Sportlehrer: „Tiefes Atmen ist gesund und tötet die Bazillen!“
Da fragt einer aus der Menge heraus: „Und wie kriege ich die Bazillen dazu, tief zu atmen?“

Der Boxer steht in der Kabine und wartet, bis es Zeit ist für seinen Kampf.
„Ist es weit bis zum Ring?", fragt er.
„Ja, schon", sagt der Trainer. „Aber mach dir nichts draus. Zurück wirst du getragen."

In tiefem Schweigen stehen zwei Angler am Fluss. Fünf Stunden vergehen. Da fängt der eine plötzlich an zu meckern: „Jetzt hast du schon wieder deinen Fuß bewegt! Sind wir hier beim Angeln oder beim Tanzen?"

Der Boxtrainer ist über alle Maßen unzufrieden mit seinem Schützling. Er redet ihm also ins Gewissen: „Über eines müssen wir uns jetzt klar werden, mein Lieber. Was willst du gewinnen? Den Meistertitel oder den Friedensnobelpreis?"

Der Schwimmverein „Fröhlicher Schnorchel" war bis jetzt noch nie besonders erfolgreich. Nach der letzten Meisterschaft wird der Präsident gefragt: „Na? Wie habt ihr abgeschnitten?"
„Oh, gut! Es ist keiner ertrunken!"

„Über Fußball kannst du mich alles fragen!“, sagt der Vater stolz zu seinem Sohn.
„So?“, meint der. „Dann sag mir doch, wie viele Maschen das Tornetz hat!“

Es regnet in Strömen. Der Fußballplatz ist total überschwemmt. Trotzdem soll das Spiel stattfinden. Vor dem Anpfiff fragt der Kapitän seine Mannschaft: „Sollen wir erst mit der Strömung spielen oder dagegen?“

„Wie war ich?“, fragt der Torwart in der Kabine.
„Letzten Sonntag warst du besser“, sagt man ihm.
„Aber letzten Sonntag habe ich doch gar nicht gespielt!“, meint er.
„Eben!“, sagen die anderen.

„Gehst du mit ins Schwimmbad?“
„Darf nicht. Hab nämlich neuerdings Hausverbot im Schwimmbad.“
„Wieso denn das?“
„Weil ich ins Wasser gepinkelt habe.“
„Das machen die anderen aber doch auch!“
„Schon. Aber nicht vom Zehnmeterbrett.“

Der Trainer pfeift und pfeift nicht ab. Die Spieler haben langsam genug.
„Trainer“, sagen sie, „wir müssen aufhören. Man sieht ja nicht einmal mehr die Hand vor den Augen, so finster ist es!“
„Idioten!“, schimpft der Trainer. „Wenn es finster ist, warum haltet ihr euch dann auch noch die Hand vor die Augen!“

Als Bastian das Fahrradfahren lernte, flog er mehrmals auf die Nase und rief ärgerlich: „Wo kann man hier denn das Gleichgewicht einschalten?“

**„Hast du alle diese Fische allein gefangen?“
„Ehrlich gesagt, nein. Ich habe da immer einen kleinen Wurm, der hilft mir dabei.“**

„Treibst du irgendwelchen Sport?“
„Natürlich! Ich spiele Handball, Fußball und Tennis, gehe zum Judo und mache Leichtathletik und Gymnastik.“
„Du liebe Güte, das ist ja beeindruckend. Wann machst du denn das alles?“
„Morgen fange ich damit an!“

Der Schatzmeister des Fußballvereins war an Sparsamkeit nicht zu übertreffen. Nachdem seine Mannschaft ein schwieriges Spiel gewonnen hatte, kam er gut gelaunt in die Kabine und tönte: „Leute, ihr wart wirklich super! Heute habt ihr euch eine echte Erfrischung verdient: Macht das Fenster auf!“

Pause zwischen den Runden. Der Boxer lehnt in seiner Ecke und fragt den Trainer: „Wie sieht's aus? Kann ich noch gewinnen?“
„Klar!“, meint der Trainer. „Wenn du weiter so wild in die Luft haust, bekommt er durch den Luftzug ganz sicher eine Lungenentzündung!“

Marie soll schwimmen lernen. Mit vereinten Kräften ziehen sie sie durchs Wasser und brüllen ihr Tipps zu, bis alle heiser sind.
Dann wankt Marie heraus und röchelt:
„So, jetzt hören wir auf!“
„Aber warum denn?“
„Weil ich keinen Durst mehr habe!“, sagt Marie mit letzter Kraft.

Das darf nicht wahr sein ...

Tante Frida kommt zum ersten Mal zu Besuch. Staunt der kleine Paul: „Tante Frida, dich haben wir uns ja ganz anders vorgestellt!"
„Wie denn?", fragt Tante Frida geschmeichelt. „Alt und hässlich vielleicht?"
„Nee, ganz im Gegenteil!"

Tobias ist bei den Nachbarskindern zu einer Geburtstagsfeier eingeladen.
„Sei schön artig und nett", verabschiedet ihn die Mutter an der Haustür. „Und vergiss nicht, dich für dein Benehmen zu entschuldigen!"

Robin war beim Zahnarzt und ist jetzt endlich wieder zu Hause.
„Hat es wehgetan?", fragt die Mutter mitfühlend.
„Ich glaube schon", sagt Robin. „Der Zahnarzt ist ganz schön herumgehüpft, nachdem ich ihn in den Finger gebissen hatte!"

„Ach, Tommi, du könntest der bravste Junge sein, wenn du nur wolltest", seufzt die Mutter.
„Ich will ja schon, Mami, aber es kommt halt immer was dazwischen!"

Fritzchen ist mit seiner Schwester im Schwimmbad. Da er zu faul ist, die Tasche nach Hause zu tragen, schreibt er einen Zettel: „Nimm bitte die Tasche mit, ich habe sie vergessen!“
Die Schwester schreibt darunter: „Nimm die Tasche selber mit, ich habe den Zettel nicht gesehen!“

„Peter, iss dein Brot!“
„Ich will aber kein Brot!“
„Iss dein Brot, damit du groß und stark wirst!“
„Warum soll ich groß und stark werden?“
„Damit du tüchtig arbeiten kannst!“
„Und warum soll ich tüchtig arbeiten?“
„Damit du dir dein Brot verdienen kannst!“
„Ich will aber doch kein Brot!“

Lisa und Marie, beide typische Großstadtkinder, machen Urlaub auf dem Bauernhof.
„Warum blühen denn manche Kartoffeln weiß und andere blau?“, fragt Lisa den Bauern.
„Die einen werden später Pellkartoffeln, die anderen Bratkartoffeln“, erklärt der Bauer lachend.
„Also, Lisa“, macht sich da Marie wichtig, „das wusstest du noch nicht?“

Anna ist mit ihrer Mutter im Zoo. Zur Erheiterung der übrigen Besucher ruft sie: „Guck mal, Mami! Der Affe da sieht aus wie Onkel Fritz!"
„Psst! Nicht so laut!", zischelt die Mutter und wird ganz rot im Gesicht.
„Och, Mami, lass doch", sagt Anna. „Der Affe da versteht das doch überhaupt nicht!"

Die Mädchen schieben einen Kinderwagen. Da kommt ein Nachbar daher und schaut neugierig hinein.
„Ist es ein Mädchen?", fragt er süßlich.
„Nein", antwortet Moni.
„Dann ist es wohl ein Junge?"
„Toll, wie Sie das erraten haben!"

Lilli ist bei der Oma zu Besuch und führt sich wieder einmal recht ungezogen auf.
„Lilli", sagt die Großmutter, „kleine Mädchen müssen brav sein, sonst geht es ihnen wie dem Rotkäppchen. Du weißt doch, das hat der Wolf gefressen."
„Ja, ich weiß", antwortet Lilli. „Aber zuerst hat er sich die Großmutter geschnappt!"

Der Lehrer zu David: „Du bist mir ja vielleicht ein Dummer! Als ich so alt war wie du, konnte ich das große Einmaleins ganz und gar auswendig – und zwar vorwärts und rückwärts!"
Antwortet David: „Schön für Sie, aber Sie hatten sicher einen guten Lehrer!"

Tommi hält sein Brathähnchen fest in beiden Händen und knabbert daran so herum, dass sich Tante Margot langsam vor den anderen Gästen zu schämen beginnt. „Man nimmt das Messer in die rechte und die Gabel in die linke Hand. Und so isst man!", raunt sie ihm leise zu. Tommi grinst zurück: „Und womit willst du dann das Hähnchen halten?"

„Wie heißen Sie?", fragt der Polizist den von ihm überraschten Einbrecher.
„Egon Meier."
Der Wachtmeister lächelt. „Das kennen wir schon, Meier oder Schmidt. Damit kommen Sie bei mir nicht durch. Also – wie heißen Sie nun wirklich?"
„Johann Wolfgang von Goethe!"
„Na also, warum nicht gleich so? Mit der Wahrheit kommt man immer noch am weitesten!"

Tante Frida sitzt am Klavier und spielt mit Leidenschaft und Begeisterung. Eine Stunde, zwei Stunden – sie kann überhaupt nicht mehr aufhören.
Schließlich meint der kleine Felix: „Tante Frida, wenn du nicht mehr anhalten kannst: Ich glaube, rechts der Hebel, das ist die Bremse!"

Sebastian will den Christbaum anzünden und steigt dazu mit den Stiefeln auf den Tisch.
„Leg doch eine Zeitung darunter!", ruft die entsetzte Mutter.
„Brauch ich nicht", meint Sebastian, „ich komme auch so dran!"

Simon und Bastian haben sich gestritten. Es lässt sich aber nicht vermeiden, dass sie sich plötzlich auf dem Gang begegnen.
„Ich weiche keinem Idioten aus!", sagt Simon und bleibt stur mitten im Gang stehen.
„Ich schon", sagt Bastian und macht dem anderen Platz.

Kathrin beschimpft ihre Freundin: „Wenn du eine Mücke verschluckst, dann hast du mehr Hirn im Bauch als im Kopf!"

Die Mutter fragt ihren Sohn Justus: „Was hättest du denn lieber, ein Brüderchen oder ein Schwesterchen?“
„Also, wenn du mich schon fragst und wenn es dir egal ist und nicht so viel Mühe macht – also, am liebsten hätte ich ein Schlagzeug!“

Mario und Tina sind bei ihrer Tante zum Mittagessen eingeladen. Es gibt feine Schnitzel. Nur ist eines der Schnitzel besonders groß und das andere besonders klein.
„Jetzt wollen wir doch mal sehen“, sagt die Tante, „wer von euch beiden die besseren Manieren hat!“
„Die hat Tina!“, sagt Mario und angelt sich das größere Schnitzel.

„Hör endlich auf, deinen Vater mit so vielen dummen Fragen zu nerven! Du siehst doch, dass er schon ganz böse wird!“, mahnt die Mutter ihre Tochter Jule.
„Ach was“, meint Jule daraufhin, „er ist ja nur sauer, weil er nicht antworten kann!“

„Ist dein Freund wirklich so ein Strich in der Landschaft, wie die Leute sagen?“
„Allerdings! Wenn er ’ne rote Krawatte anhat, sieht er aus wie ein Thermometer.“

Lotte geht im Supermarkt zur Kasse und sagt: „Sie haben sich gestern beim Herausgeben um zwanzig Euro geirrt!"
„Das kann jeder behaupten!", gibt die Kassiererin unfreundlich zurück. „Das hättest du gleich sagen müssen. Jetzt ist es zu spät!"
„Na gut, dann behalte ich eben das Geld!"

Polizist Grapschig rennt durch die Gegend und sucht einen Ladendieb. Er fragt zwei Männer, die gerade auf der Straße stehen und sich unterhalten: „Haben Sie einen Ladendieb gesehen?"
Sagt der eine zum anderen: „Einen Ladendieb? Nee! Oder hast du einen gesehen, der mit einem Laden vorbeikam?"

Julius hat jetzt schon dreimal versucht, seinen Freund Tom telefonisch zu erreichen.
Als er zum vierten Mal zwanzig Cent in den Münzautomaten wirft und sich wieder ein Fremder meldet, schreit er wütend: „Ist denn dort wieder so ein Rindvieh am Telefon?"
Höflich kommt die Antwort: „An diesem Ende nicht!"

Frau Frankenstein kommt zum Schönheitschirurgen:
„Was kostet eine kosmetische Operation?"
„Etwa siebentausend Euro."
„Geht es nicht etwas billiger?"
„Doch, kaufen Sie sich einen Hut mit Schleier!"

„Später heirate ich die Kathrin", erzählt Max seiner Mutter.
„Hast du sie schon gefragt? Zum Heiraten gehören immer zwei!", gibt die Mutter zu bedenken.
„Au fein", freut sich Max, „dann nehme ich die Susi auch noch dazu!"

„Junge, nimm den Hund weg! Ich merke schon, wie mir ein Floh das Bein hochkrabbelt!"
„Komm da weg, Bello, die Dame hat Flöhe!"

Herr Kräusel hat den Nagel, an dem er ein Bild aufhängen wollte, krumm geschlagen. Er ruft seinen Sohn und sagt ihm: „Geh mal in die Küche und hol die alte Beißzange!"
Der Sohn geht in die Küche und ruft: „Tante Frida, Papa will was von dir!"

Nils weiß keine Antwort auf die Frage seines Vaters. Wütend sagt der Vater: „Geh doch mal schnell in die Apotheke und hole für zehn Cent Verstand."
„Soll ich sagen, dass es für dich ist?", fragt Nils treuherzig.

Timo kommt in den Garten und sieht, wie sein kleiner Bruder auf dem Boden kniet und dem Hund die Zunge herausstreckt.
„Spinnst du?", fragt er.
„Der Bello hat zuerst damit angefangen!", verteidigt sich der Kleine.

Florian kommt völlig entsetzt von der Schule nach Hause: „Stell dir vor, Mami, unser Lehrer weiß nicht einmal, was eine Kuh ist!"
„Wie kommst du denn darauf?"
„Ich habe heute im Zeichenunterricht eine Kuh gemalt, und er hat gefragt, was das ist!"

Draußen im Treppenhaus ein Schrei, ein Sturz, ein Poltern.
„Haste gehört, Mami? Jetzt hat Vati meinen anderen Rollschuh gefunden!"

„Diese Unart will ich nicht mehr an dir sehen!“, schimpft der Vater mit seinem Sohn. „Schließlich willst du später mal ein feiner Mann werden!“
„Nein, Papa“, heult der kleine Lars, „ich will so werden wie du!“

Stefanie gibt an, wo immer es nur geht.
„Heute Abend gehe ich zu einem amerikanischen Multimillionär zum Essen!“, sagt sie, und ihre Freundinnen platzen fast vor Neid.
Wenig später sehen sie sie bei McDonald’s.

Der kleine Markus fragt seinen Vater: „Papi, bist du wirklich auch mal so klein gewesen wie ich?“
„Aber natürlich“, sagt der Vater, „ganz genauso klein!“
„Da musst du aber lustig ausgesehen haben mit deinem dicken Bauch und der Glatze!“

„Fabian“, fragt die Oma, „was ist denn das für ein Geräusch im Badezimmer?“
„Das ist Paula, die klappert mit den Zähnen!“
„Unsinn, das Baby hat doch erst ein paar Zähne!“
„Sie klappert ja auch mit deinen, Oma!“

Wer ein T-Shirt kauft, bekommt kostenlos seine Anfangsbuchstaben aufs Hemd gedruckt. Die Sache ist ein Renner. Nur eine will nicht.
„Warum nicht?“, wird sie gefragt.
„Ich heiße Wilhelmine Cottbus“, sagt sie traurig, „und würde ständig mit einem WC herumrennen!“

„Tina!“, schimpft die Mutter. „Wie kommt das ganze Sägemehl auf den Fußboden?“
„Aber du weißt doch, dass meine Puppe gerade eine Abmagerungskur macht!“

„Ich habe gar keine Lust auf Evas Feier!“, stöhnt Ute.
„Ich auch nicht“, sagt Tina. „Aber stell dir vor, wie sie sich freuen würde, wenn wir nicht kämen!“
„Dann nichts wie hin!“

„Wo warst du denn, Andi?“
„Bei Thomas.“
„Kamst du seiner Mutter auch nicht ungelegen?“
„Ganz bestimmt nicht. Als ich kam, hat sie ganz laut ausgerufen: ‚Du lieber Himmel, du hast mir gerade noch gefehlt!‘“

„Was wünscht sich deine Schwester zu Weihnachten?“
„Geld. Sie spart auf ein Fahrrad.“
„Und? Schenkst du ihr welches?“
„Quatsch. Geld kann ich nicht basteln.“

Der Großbrand ist endlich gelöscht. Die Feuerwehr rollt
die Schläuche zusammen und fährt die Leitern ein.
„Siehst du“, sagt da eine Mutti zu ihrem Sohn, „wie
schön die Männer ihre Spielsachen aufräumen!“

**Claus: „Ich war schon als Kleinkind
hoch intelligent! Mit neun Monaten
konnte ich schon laufen!“
Emil: „Das nennst du intelligent?
Ich habe mich mit drei Jahren noch
tragen lassen!“**

Abends beim Schlafengehen sagt Michaela zur Mami:
„Mami, du hast mir immer so schöne Geschichten erzählt.
Heute will ich zur Abwechslung dir mal eine erzählen.
Es ist aber nur eine kurze Geschichte.“
„Das macht doch nichts! Nur zu!“
„Also, die Geschichte geht so: Es war einmal eine schöne,
kostbare alte Vase. Die stand da. Und jetzt ist sie kaputt.“

Nick flucht entsetzlich. Oma ist darüber heftig erschrocken und beschließt, dies abzustellen.
„Wenn du mir versprichst“, sagt sie, „dass du nie wieder diesen Ausdruck gebrauchst, bekommst du von mir einen Euro!“
„Abgemacht“, sagt Nick. „Aber da kenne ich noch einen, der ist gut seine fünf Euro wert.“

Eine elegante Dame kommt zu Besuch – alles ganz vornehm. Da sieht die Gnädigste entsetzt den dreckigen Jüngsten.
„Sag mal, wascht ihr euch denn nicht?“
Sagt der Kleine: „Nee, wieso denn? Wir erkennen uns an der Stimme!“

„Einer in meiner Klasse hat heute behauptet, dass ich Papa sehr ähnlich sehe“, erzählt Tom beim Mittagessen.
„Und was hast du geantwortet?“, strahlt der Vater.
„Nichts“, meint Tom. „Er war ja viel stärker als ich!“

„Ich steh schwer auf Umweltschutz“, sagt Linus. „Ich werfe zum Beispiel alte U-Bahn-Fahrscheine nie weg, sondern benutze sie mehrmals.“

Peter hat ein Schwesterchen bekommen.
„Wie heißt es denn?"
„Keine Ahnung", sagt Peter. „Es spricht noch so undeutlich."

„Dein Husten hört sich heute schon viel besser an!", lobt der Hausarzt den kleinen Bastian.
„Kein Wunder", sagt Bastian, „ich habe auch die ganze Nacht geübt!"

Silke hat den ganzen frisch gebackenen Kuchen aufgefuttert.
„Hast du denn überhaupt nicht an deinen Bruder gedacht?", fragt die Mutter sie vorwurfsvoll.
„Doch, die ganze Zeit! Deshalb habe ich mich ja so beeilt!"

Heike klingelt bei der Nachbarin.
„Frau Müller, können Sie bitte meiner Mami eine Schere leihen?"
„Ja, schon. Aber habt ihr nicht selbst eine Schere?"
„Doch. Aber die ist Mami zum Dosenöffnen einfach zu schade!"

„Du, Paps, weißt du, wer Maria Stuart war?"
„Natürlich weiß ich das. Aber du nimmst jetzt die Bibel und schaust gefälligst selber nach, damit du es dir auch merkst!"

Und wieder erzieht Papa an seinem Sohn herum. „Schäm dich", sagt er. „In deinem Alter hab ich niemals gelogen!"
„Und wann hast du damit angefangen?"

Lara und Mark sind sauer. Sie müssen im Kinderzimmer bleiben, während die Eltern im Wohnzimmer eine Party mit vielen Gästen feiern. Da sagt Lara zu Mark: „Pass auf. Jetzt sind wir zehn Minuten lang absolut still. Total mausestill, verstehst du."
„Warum jetzt das?"
„Mensch, das macht die irre nervös!"

„Du sollst nicht über den ganzen Tisch greifen! Hast du keinen Mund?"
„Ja, schon. Aber mit der Hand komm ich besser hin."

Einige Azubis stehen beisammen. Murrt einer: „Der Boss will einige rausschmeißen."
Meint ein anderer: „Keine Bange. Sklaven schmeißt man nicht raus, die verkauft man."

Manuela rennt heulend zur Mutter und beklagt sich, dass ihr Bruder sie wieder geärgert hätte: „Er hat behauptet, ich hätte eine große Klappe!"
„Das stimmt ja gar nicht", verteidigt sich der Bruder. „Ich habe nur gesagt, dass sie mit Leichtigkeit eine Banane quer essen könnte!"

„Du, Rosi, hast du schon von dem sensationellen neuen Schönheitsmittel gehört?"
„Aber ja! Ich verwende es schon seit drei Wochen!"
„Aha! Dachte ich mir doch gleich, dass das Zeug nichts taugt!"

Herr Knüllich steht vor dem Personalchef: „Sie haben sich als Nachtwächter in unserer Firma beworben. Welche Voraussetzungen bringen Sie mit für diesen Job?"
„Ich wache beim geringsten Geräusch auf!"

Stefan ist ein fürchterlicher Morgenmuffel. Wieder ist er zu spät aufgestanden, motzt alle Leute an, das Frühstück passt ihm auch nicht, beinahe streitet er mit seiner Schwester, bis er schließlich grußlos das Haus verlässt.
Da ruft ihm seine Mutter auf die Straße nach: „Stefan, komm zurück! Du hast etwas vergessen!"
Stefan kehrt um: „Was ist?"
„Du hast vergessen, die Tür zuzuknallen!"

Mark wünscht sich eine Trompete.
Der Vater stöhnt: „Auch das noch! Dann will er immer blasen, wenn ich arbeite!"
„Na ja", meint Mark, „wir können uns schon einigen. Ich schlage vor, ich blase nur dann, wenn du schläfst!"

„Bringt das nächste Mal jemanden in die Kirche mit!", hat der Pfarrer seinen Leuten gesagt.
Das nächste Mal kommt Julius total ramponiert zur Kirche.
„Was ist mit dir?", sagt der Pfarrer.
„Ich wollte jemanden mitbringen", antwortet Julius. „Aber der war stärker als ich."

Heiner wird gefragt: „Sag mal, du bist immer so langsam. Du gehst langsam, redest langsam, schreibst langsam. Gibt es denn gar nichts, was schnell geht bei dir?“
„Doch, ich werde schnell müde!“

„Sag mal, das darf doch nicht wahr sein, dein kleiner Bruder raucht!“
„Och, nicht immer. Nur wenn er besoffen ist.“

Leo ist mit seinen Eltern sehr zufrieden. Als er abends ins Bett geht und ihnen Gute Nacht sagt, fragt er:
„Ich werde gleich beten – braucht ihr irgendetwas?“

Die Oma will Miriam belohnen, weil sie so brav war, und sagt großzügig: „Weil du heute so lieb warst, bekommst du das neue Eurostück hier!“
„Ach, Oma“, meint Miriam, „das wäre doch nicht nötig gewesen! Ein alter Zehn-Euro-Schein hätte es doch auch getan!“

Ferdinand geht auf dem Bürgersteig und passt nicht auf. Darum rennt er mit einem Mann zusammen.
„Pass doch auf, du Knallkopf!“, schimpft der Mann.
„Du glaubst wohl, ich bin ein Laternenpfahl?“
„Bestimmt nicht“, sagt Ferdinand. „Sonst wären Sie oben heller!“

Die kleine Ronja zum Metzger: „Bitte für zwei Euro Hundefutter, aber nicht wieder so fett wie vorige Woche – das mag mein Vater nicht.“

Professor beim Examen: „Welche Dosis dieses Präparats geben Sie dem Patienten?“
Kandidat: „Einen Esslöffel voll!“
Peinliches Schweigen.
Kandidat: „Ich möchte meine Antwort korrigieren!“
Professor: „Tut mir leid, Ihr Patient ist seit vierzig Sekunden tot!“

Jahrelang betet David jede Woche: „Gib, dass ich gewinn die Lotterie!“ Noch zwanzig Jahre später fällt er auf die Knie und betet: „Herr, gib, dass ich gewinn die Lotterie!“ Plötzlich ist der Raum hell erleuchtet und er hört eine Stimme: „David, gib mir a Chance, kauf dir a Los!“

Klein Sabinchen kommt zur Mutter: „Du, Mami, kannst du mir vielleicht 'nen Euro geben?“
„Wozu brauchst du denn einen Euro?“
„Tobias und ich spielen Braut und Bräutigam, und ohne Mitgift für Kaugummis will er mich nicht heiraten!“

Man unterhält sich über Krankheiten. Die Mutter erklärt: „Eine Krankheit greift immer zuerst die schwächsten Stellen des Körpers an.“
„Aha“, meint da Natalie, „darum hat Papi so oft Kopfschmerzen!“

Hannes ist total verfressen.
„Kann ich zwei Stück Kuchen haben?“, kräht er über den Kaffeetisch.
„Kannst du“, sagt seine Schwester Klara, nimmt ein Messer und schneidet sein Stück in aller Ruhe einmal durch.

Der Psychiater zum Patienten: „Erzählen Sie mir alles der Reihe nach: Wie war das am Anfang mit Ihnen?“
„Nun, am Anfang schuf ich Himmel und Erde.“

„Du hast zwei Äpfel, einen großen und einen kleinen, und sollst mit deinem Bruder teilen. Was tust du?", fragt der Religionslehrer.
„Kommt ganz drauf an!", meint Heike.
„Worauf denn?"
„Ob ich mit meinem großen oder mit meinem kleinen Bruder teilen muss!"

Max und Susi werden gefragt: „Ihr wart doch gestern im Kino. Habt ihr euch gut unterhalten?"
„Zuerst schon, aber dann haben sich die Nachbarn beschwert!"

„Ich habe eine neue, computergesteuerte Haarschneidemaschine installieren lassen. Man steckt den Kopf rein, dann kommen rotierende Messer – und fertig."
„Entschuldigen Sie, aber die Leute haben doch ganz verschiedene Kopfformen!"
„Vorher – nur vorher."

Ein Ostfriese fragt seinen Freund:
„Glaubst du, dass der Mond bewohnt ist?"
„Na klar, da oben brennt doch Licht."

Kommt ein Mann in die Hölle. Fragt der Teufel: „Willst du in Hölle eins, zwei oder drei?"
Sagt der Mann: „Das will ich mir vorher erst einmal anschauen."
„Gut", sagt der Teufel. „Das ist Hölle eins."
Der Mann sieht, wie die Gefangenen in einer übel riechenden Flüssigkeit stehen. Die Brühe geht bis zum Nabel hoch. „Jetzt möchte ich auch noch die beiden anderen Höllen sehen!"
Der Teufel zeigt ihm Hölle zwei. Dort geht die übel riechende Flüssigkeit bis zum Hals.
Dann kommen sie zur Hölle drei. Dort geht die Flüssigkeit nur bis zum Oberschenkel. Darauf sagt der Mann: „Ich will in Hölle drei!"
Der Teufel: „Ehrenwort?"
Der Mann: „Ja!"
Nach einer Weile steht der Mann in Hölle drei. Plötzlich ertönt ein Lautsprecher: „Die Stehpause ist beendet. Bitte wieder hinlegen!"

„Sag mal, du hältst mich wohl für einen vollkommenen Blödmann", sagt Christian zu seiner Schwester.
„Aber nein", säuselt sie, „keiner ist vollkommen!"

Hennings schauen sich die Neubauwohnung an.
„Oh, sieh mal, die schönen Einbauschränke“, sagt Frau Henning zu ihrem Mann.
„Das sind keine Einbauschränke, das sind die Kinderzimmer“, antwortet der Makler.

„Wieso ist das mit dem Mädchen neulich nix geworden?“
„Du weißt doch, ich suche die Idealfrau.“
„Aber du meintest doch, sie sei die Idealfrau!“
„Ja, ja, war sie schon, aber sie suchte den Idealmann!“

Mami hat Fichtennadel-Badetabletten gekauft.
„Eigentlich praktisch, dieses Zeug“, sagt Simon ein paar Tage später. „Es schmeckt zwar scheußlich, aber man erspart sich das lästige Waschen.“

„Wozu hast du dir denn einen Kranwagen angeschafft?“
„Ich brauche ihn für meine Arbeit.“
„So, was bist du denn?“
„Rausschmeißer in einem Autokino.“

Immer mit der Ruhe

Der Geburtstagsbesuch ist da. Voller Stolz versucht der Vater der Verwandtschaft zu zeigen, wie gut der Sohn schon sprechen kann.
„Stefan, sag mal Rhinozeros!“
Stefan sieht sich in der Runde um und fragt dann:
„Zu wem?“

„Im Moment lese ich ‚Das Kapital‘ von Karl May“, prahlt Tom.
Darauf sein Freund: „Du spinnst wohl. ‚Das Kapital‘ hat doch Karl Marx geschrieben.“
„Ach so“, meint Tom, „ich habe mich auch schon gewundert, warum so wenige Cowboys und Indianer in dem Buch vorkommen.“

Zwei Freunde spielen und basteln am Computer rum.
Schimpft der eine: „Ich glaub, deine Diskette klemmt.“
Der andere total sauer zurück: „Dir haben sie wohl die Festplatte formatiert und dabei vergessen zu sichern!“

„Willst du jetzt brav sein, oder willst du wieder mal ohne Essen ins Bett?“, droht die Mutter.
„Was gibt es denn?“, interessiert sich Knut erst einmal.

Minimonster Nina hat eine Brieffreundin.
„Teile mir bitte mit, wann du Geburtstag hast, damit ich dir ein schönes, teures Geschenk schicken kann“, schreibt Heike. „Übrigens, mein Geburtstag ist nächste Woche!“

Tiefe Mitternacht. Das ganze Kaff schlummert, auch der Apotheker Reagenzius. Da scheppert die Nachtglocke. Erst flucht der Herr Apotheker, dann fährt er in seine Hosen, dann schlurft er zur Ladentür und fragt durch die Luke, was los sei.
Draußen steht Heike.
„Ich möchte bitte für fünfzig Cent Malzbonbons!“, säuselt Heike.
„Ja, Himmelherr… Deshalb weckst du mich mitten in der Nacht? Könntest du nicht bei Tag kommen!“
„Da haben Sie auch Recht!“, sagt Heike und verschwindet im Dunkel.

Der sechsjährige Finn beklagt sich bei seinen Freunden: „Die Erwachsenen sind komische Leute. Wenn ich in der Wohnung herumtobe, dann geben sie mir eine Ohrfeige. Sitze ich ganz ruhig in einer Ecke, dann messen sie bei mir Fieber!“

Der schon etwas senile Rektor Scheuerlein befindet sich auf seinem ersten Transatlantikflug. Plötzlich plagen ihn eindeutige Bedürfnisse und er sucht die Herrentoilette. Er irrt sich in der Tür, schaut ins Cockpit und stürzt dann völlig befremdet zur Stewardess: „Sie! Auf der Herrentoilette sitzen vier Männer und sehen fern!"

„Möchtest du Arzt werden?", fragt Dr. Mettwurst Max nach einer Untersuchung.
„Nee, bestimmt nicht. Da müsste ich mir ja ununterbrochen die Pfoten waschen!"

„Lena, schenkst du mir ein Foto von dir?", fragt Fabian. Lena kann es gar nicht fassen, dass ihr Bruder sie plötzlich so liebt, und fragt voller Freude: „Wirklich? Du möchtest ein Foto von mir?"
„Ja. Wir müssen morgen irgendein Bild von einer Naturkatastrophe in die Schule mitbringen!"

„Ist das nicht gemein?", beklagt sich Roland aufgebracht. „Stefan hat zu mir ‚alter Ochse' gesagt!"
„So was!", bestätigt seine Schwester. „Wo du doch noch gar nicht alt bist!"

Eine Dame, die sich jünger fühlt, als sie ist, steigt in die U-Bahn. Lisa will aufstehen. Aber die Dame drückt sie auf ihren Platz zurück: „Lass nur, meine Kleine, ich stehe ganz gerne!"
Etwas später steht Lisa wieder auf. Doch die Dame schiebt sie wieder zurück. Und noch einmal versucht Lisa das Gleiche, aber wieder besteht die Dame darauf, dass Lisa sitzen bleibt.
Da sagt Lisa: „Ach bitte, lassen Sie mich doch aufstehen. Jetzt bin ich schon zwei Stationen zu weit gefahren!"

Die Familie macht Urlaub auf dem Bauernhof, und Tinchen lässt es sich nicht nehmen, jeden Morgen auf dem Haflinger auszureiten.
„Tinchen ist noch nicht zurück", sorgt sich die Mutter am Frühstückstisch.
„Aber es kann nicht mehr lange dauern", vermutet Heiner, „ihr Pferd ist nämlich schon da!"

„Thomas, du musst wieder einmal frisches Wasser in das Aquarium gießen", mahnt die Mutter.
„Wieso denn, Mama? Die Fische haben ja noch nicht einmal das alte ausgetrunken!"

„Familie Schöberl feiert nächste Woche blecherne Hochzeit."
„Blecherne Hochzeit? Was ist denn das?"
„Zwanzig Jahre Essen aus der Dose!"

Als Tim nach Hause kommt, sind T-Shirt und Hose völlig durchlöchert.
„Um Gottes willen, was ist denn passiert?", fragt die Mutter erschrocken.
„Nichts weiter! Wir haben nur Kaufladen gespielt, und ich war der Schweizer Käse!"

„In deinem Alter war Helmut Kohl schon Klassenbester", schimpft der Vater. „Und in deinem Alter war er schon Bundeskanzler", kommt es zurück.

Luisa nimmt Gesangsunterricht. Voller Hoffnung fragt sie ihren Lehrer: „Herr Professor, werde ich mit meiner Stimme je etwas Richtiges anfangen können?"
„Oh ja, sie könnte sehr von Nutzen sein, falls einmal ein Feuer ausbricht!"

Die Freundinnen sitzen beim Eis und klatschen über die anderen.
„Also, über die Angie kann man nur Gutes sagen“, meint Anne.
„Dann reden wir lieber über jemand anderen“, beschließt Heike.

Zwei Patienten unterhalten sich über die Ärzte.
„Finden Sie nicht auch“, meint der eine, „dass Ärzte ihre Rezepte deutlich schreiben sollten?“
„Das finde ich nicht“, meint der andere. „Mit dem Rezept, das mir der Arzt vor zwei Jahren gab, bin ich ein Jahr kostenlos ins Museum gegangen, ein Jahr mit der Eisenbahn gefahren und jetzt bekomme ich auch noch Rente!“

Auf den Stufen zum Eingang des Kultusministeriums wird ein Neugeborenes gefunden. Die Polizei ermittelt natürlich zuerst in der Behörde.
Der Pressesprecher des Ministeriums kann jedoch schnell jeden Verdacht abwehren: „1. wird hier ohne Lust und Liebe gearbeitet, 2. wird hier innerhalb neun Monaten gar nichts fertig, 3. hat hier nichts Hand und Fuß.“

Patrick ist wieder einmal sauer auf seine kleine Schwester Monja: „Du musst ein kleines Tier im Kopf haben, das deinen Verstand langsam auffrisst!“
„Pff!“, entgegnet Monja in aller Ruhe. „Bei dir wäre das arme Tierchen schon längst verhungert!“

„Wie schaust du denn aus! Du hast ja eine Riesenbeule am Kopf. Was hast du denn da gemacht?“
„Das kommt von meinen Pickeln im Gesicht.“
„Und davon kriegt man eine Beule?“
„Ja, der Doktor hat gesagt, ich soll mein Gesicht mit Toilettenwasser einreiben. Und wie ich mich über die Toilette beuge, ist mir der Deckel auf den Kopf gefallen.“

„Ich weiß ein ganz schweres Rätsel!“, sagt Martina. „Was ist das: Man kann sich eine Hand damit abtrocknen, es fährt mindestens achtzig Kilometer pro Stunde, man trägt es meist am linken Arm?“
Die anderen zerbrechen sich den Kopf und kommen beim besten Willen nicht darauf.
„Jetzt sag schon“, drängen sie.
„Ist doch ganz logisch!“, meint Martina. „Also, das sind ein Handtuch, ein Motorrad und eine Armbanduhr!“

„Liebe Minna, Sie müssen den Teppich schon stärker klopfen!“, beschwert sich die Baronin von Zitzewitz.
„Aber dann staubt es doch so!“, meint Minna.

Der kleine Matthias war mit seinem Opa im Zoo. Als sie wieder zu Hause sind, fragt ihn der Opa: „Na, welches Tier hat dir am besten gefallen?“
„Der Orang-Utan!“
„Und warum?“
„Weil er dir so ähnlich sieht!“

Andi und Christian nützen Mutters Abwesenheit, um ausgiebig zu naschen. Plötzlich zieht ein Gewitter auf. Es donnert und blitzt gewaltig.
„Oh Schreck, lass nach!“, jammert Andi. „Jetzt hat uns der Himmel für die Sünderkartei fotografiert!“

„Der Computer bittet um Entschuldigung“, sagt der Finanzbeamte zu Herrn Käuzchen. „Er hat sich verrechnet. Sie bekommen 198 Euro Steuern zurück.“
Käuzchen dreht sich misstrauisch um: „Wo ist sie?“
„Wer?“
„Die versteckte Kamera!“

Petra dreht und wendet sich vor dem Kirchgang wie ein Pfau: „Nun, wie gefällt euch mein neuer Mantel? Echt Kamelhaar!“
„Fabelhaft“, antwortet Gerhard trocken, „und sitzt wie angewachsen!“

„Das freut mich, dass du dich mit dem Tobias so gut verträgst. Soeben habe ich vom Fenster aus gesehen, wie du ihm ein paar Bonbons gegeben hast.“
„Das waren keine Bonbons. Das waren seine Vorderzähne.“

Heinrich soll Lametta für den Christbaum einkaufen, aber im Laden fällt ihm das Wort dafür nicht mehr ein. Da zeigt Heinrich auf das Sauerkraut und meint: „Von dem da bitte – aber verchromt!“

„Du, Mami, die Meisenbichlers von nebenan sind wirklich unmusikalische Menschen!“
„Warum?“
„Sie haben unserem Karlchen ein Messer gegeben. Damit soll er seine Trommel aufschlitzen und nachsehen, was der Weihnachtsmann darin versteckt hat!“

Jonas möchte nach Afrika und Löwen jagen. Kurz vor der Abreise bekommt er dann doch ein bisschen Angst. Er erkundigt sich daher bei einem anderen erfahrenen Jäger: „Sagen Sie, stimmt es, dass einem Löwen nichts tun, wenn man eine brennende Fackel in der Hand hält?“
„Na ja“, bekommt er zur Antwort, „das kommt darauf an, wie schnell man die brennende Fackel trägt!“

„Meine Schwester spielt im Schultheater mit“, erzählt Gerd. „Da hat sie eine Rolle, die beinahe über ihre Kräfte geht!“
„Wieso? Sie hat doch eine stumme Rolle!“
„Eben!“

Andreas hat seinen achtzehnten Geburtstag.
„Komm her“, sagt Vati. „Setz dich einmal, heute also hast du den achtzehnten Geburtstag.“
Dann angelt sich Vati das Zigarettenetui und hält es Andreas hin. „Na, nimm schon“, sagt er aufmunternd, „jetzt bist du alt genug!“
„Ach, weißt du, Papi“, sagt Andreas, „gerade jetzt, wo ich mir vor einem halben Jahr das Rauchen abgewöhnt habe ...!“

Damit Anja später einmal ganz toll aussieht, bekommt sie jetzt eine Zahnspange verpasst.
„Mami, krieg ich auch so eine Stoßstange ins Gesicht?“, fragt der kleine Bruder.

„Finden Sie nicht auch, dass mir mein Sohn sehr ähnlich sieht?“, fragt der Vater.
„Ooch, das sollten Sie nicht so tragisch nehmen. Hauptsache, er ist gesund“, bekommt er zur Antwort.

Auf dem Platz gibt es eine riesige Menschenansammlung. Alle sind aufgeregt und drängeln nach vorn.
„Was ist denn los?“, fragt Herr Grümmel einen Mann.
„Keine Ahnung!“, sagt der. „Der Letzte, der es wusste, ist vor zehn Minuten heimgegangen!“

„Anja!“, schimpft die Mutti. „Woher hast du so hässliche Worte!“
„Vom Nikolaus.“
„Vom Nikolaus? Erzähl doch keine Märchen!“
„Doch. Vom Nikolaus. Du hättest hören sollen, wie der geflucht hat, als er in unserem Garten über die Gießkanne gefallen ist!“

Der Vater liest seinem Sohn Märchen vor, damit er einschläft. Nach einer Weile schaut die Mutter ins Zimmer und fragt: „Schläft er schon?"
„Ja", sagt der Kleine, „endlich!"

„Mein Bruder Elmar ist der Schrecken der Nachbarschaft", erzählt Elvira. „Er beschmiert Hauswände, wirft Fensterscheiben ein, klingelt an fremden Hausglocken – und jetzt kriegt er ein Fahrrad!"
„Zur Belohnung?"
„Nein, damit er einen größeren Aktionsradius hat."

Klein Ute kann nicht schlafen und weckt ihre Mutter: „Mama, mich juckt's hier."
„Dann kratz dich doch", meint die Mama mit hörbar schlechter Laune und dreht sich auf die andere Seite.
„Mama", ruft die Kleine nach einer Weile, „jetzt juckt's mich da!"
„Dann kratz dich dort und lass mich schlafen!"
Wieder ein bisschen später: „Mama?"
„Jaaaa!"
„Jetzt juckt's mich nicht mehr!"

„Dieses Foto hat mein Bruder von mir gemacht. Es zeigt mich beim Telefonieren!“
„Der muss aber einen tollen Apparat haben, mit einer Zweitausendstelsekunde Belichtungszeit und so!“
„Warum?“
„Weil du mit geschlossenem Mund drauf bist!“

Beim Zoobesuch sagt die Mutter besorgt zu ihrer kleinen Anne: „Geh sofort von den Löwen weg!“
Meint Anne beleidigt: „Wieso denn, Mama, ich tu ihnen doch gar nichts!“

„Wo sind denn deine Eltern?“, fragt der Fremde den kleinen Jungen auf dem Bauernhof.
„Die sind im Krankenhaus“, gibt dieser Auskunft.
„Und was haben sie?“
„Vom Traktor überfahren.“
„Du armer Junge! Und was machst du den ganzen Tag?“
„Traktor fahren!“

„Wir spielen in der Schule das Märchenstück ‚Die Schöne und das Biest‘. Ich habe die Hauptrolle!“, flötet Jutta.
„So? Und wer spielt die Schöne?“, fragt ihr Bruder.

Sabinchen will ihre Zukunft wissen und geht zum Wahrsager Durchsichtix.
„Gib mir deine rechte Hand“, sagt Herr Durchsichtix und beginnt aus der Handfläche zu lesen: „Ich sehe dunkle Mächte über deinem Haupt. Man wird dich erst einmal mästen, dann zum Schlachthof fahren, dann kommt ein dicker Kerl mit einem Beil …“
„Halt, halt“, ruft Sabinchen, „darf ich erst einmal meinen Lederhandschuh ausziehen?“

Moritz hat sich den Magen verdorbent. Darum darf er nur Milch trinken und muss Brei essen.
„Jetzt ist mir klar“, sagt er, „warum die Babys dauernd schreien.“

Es ist Familienfest. Die Torten und Kuchen stapeln sich auf dem Tisch. Mami hat Uli zu Hause eingeschärft, dass er sich gut benehmen müsse, und deshalb sitzt er mit knurrendem Magen vor dieser ganzen Pracht und traut sich nicht, noch ein Stück zu nehmen.
„Du leidest wohl an Appetitlosigkeit?“, fragt lachend Onkel Hans.
„Nö, an Höflichkeit“, seufzt Uli.

Nach der Trauung schreitet das Paar würdevoll aus der Kirche. Zwei Knirpse sehen interessiert zu.
„Jetzt werde ich die beiden mal richtig erschrecken", sagt der eine, rennt auf den Bräutigam zu und ruft: „Papa!"

In einem chemischen Labor ist jeden Morgen die Flasche mit Alkohol leer. Der Professor ärgert sich darüber und klebt ein Schildchen auf die Flasche: „Vorsicht, Erblindungsgefahr!"
Am nächsten Morgen ist die Flasche nur noch halb voll und auf dem Schildchen steht: „Ein Auge riskiere ich!"

„Ich habe einen Holzsplitter im Finger!"
„Warum musst du dir auch dauernd den Kopf kratzen!"

„In deinem Alter war Arbeit für mich ein Vergnügen!", erklärt der Vater streng seinem Sohn, mit dem er etwas unzufrieden ist.
Der Sohn verteidigt sich: „Aber Papi, du musst doch froh sein, dass ich nicht immer nur ans Vergnügen denke!"

„Herr Ober, ist die Rinderzunge auch frisch?“
„Aber sicher, mein Herr, mit der können Sie sich sogar noch unterhalten!“

Tommi hat eine Erkenntnis: „Jetzt weiß ich endlich, warum die Engländer so begeisterte Teetrinker sind!“
„Warum denn?“
„Ich habe im Urlaub ihren Kaffee probiert!“

Ein Krimi im Fernsehen.
„Kommt rein, Kinder“, ruft die Frau des Bankräubers ihre Kleinen, „Da könnt ihr noch was lernen!“

„Mami, sag, ist Papi früher von Opa verhauen worden, als er noch klein war?“
„Ja.“
„Und ist auch Opa verhauen worden, als er klein war?“
„Ja.“
„Und hat ganz, ganz früher auch der Uropa Prügel gekriegt?“
„Ja.“
„Sag mal, wer hat eigentlich mit diesem Quatsch angefangen?“

„Jetzt ist deine Lehrzeit zu Ende“, sagt der Meister. „Ab heute sage ich nicht mehr ‚Du‘ zu dir, sondern ‚Sie‘. Und ab heute brauchst du auch die Brotzeit nicht mehr zu holen – ab heute holen Sie die Brotzeit. Verstanden?“

„Hast du dem Tom gesagt, dass ich blöd bin?“
„Nein, das hat er schon vorher gewusst!“

„Zu Oma und Opa gehe ich nie wieder!“, sagt Patrick zu Hause zu Mutti. „Die sitzen den ganzen Tag auf dem Sofa herum und haben nichts an!“
„Was sagst du da? Die haben nichts an?“
„Nein, gar nichts, kein Fernsehen, kein Radio, nichts!“

Omilein kommt vom Friseur nach Hause.
„Richtig toll, wie du jetzt aussiehst, Omilein“, sagt Anita. „Gar nicht mehr wie eine alte Frau!“
„Oh, das freut mich aber, dass du das sagst“, sagt Omilein.
„Jetzt siehst du aus wie ein alter Mann.“

Der junge Mann ist zum ersten Mal bei einem Psychiater. „Meine Familie hat mich zu Ihnen geschickt, weil ich nur Baumwollsocken mag.“
„Aber das ist doch kein Grund, mich zu konsultieren!“, wundert sich der Arzt. „Ich mag auch am liebsten Baumwollsocken.“
„Ist das wahr?“, sagt der Patient glücklich. „Auch mit Essig und Öl und einem Spritzer Zitrone?“

Die Polizei hat Ede eingebuchtet. Aus dem Gefängnis schreibt er seiner Frau: „Du kannst mir ruhig noch ein paar Feilen schicken. Nach dem Essen sitzen wir immer gemütlich beisammen und pflegen unsere Fingernägel.“

„Alex!“, schreit die Mutter entsetzt. „In deiner Tasche ist ja eine lebende Maus!“
„Verdammt! Und die Frösche? Sind die nicht mehr drin?“

„Mami! Was war in der Spraydose?“
„Extra-Plus-Superkleber.“
„Ach so. Darum kriege ich meine Mütze nicht mehr herunter!“

„Kennst du den Unterschied zwischen einem Klavier und einer Babybadewanne?“
„Nein.“
„Dann pass bloß auf, falls du mal ein Klavier kaufst, dass sie dir keine Babybadewanne andrehen!“

„Ihr Mann braucht dringend mehr Ruhe!“, sagt der Arzt zu der Dame.
„Ja, sehen Sie!“, kreischt sie daraufhin. „Das sage ich ihm mindestens tausendmal am Tag!“

„Sind das deutsche oder holländische Tomaten?“, fragt eine Kundin die Marktfrau.
„Wieso? Wollen Sie die Tomaten essen oder wollen Sie sich mit ihnen unterhalten?“

Das Schwesterchen fragt: „Mami, ist unser Baby vom Himmel gekommen?“
„Natürlich!“
„Siehst du, die da oben wollten den Schreihals auch nicht haben!“

„Na, Friedrich, lässt du deine kleine Schwester auch mal Schlitten fahren?"
„Freilich. Wir wechseln ab. Sie fährt immer hinauf – und ich fahre runter!"

„Mutti, schau mal! Der Mann isst seine Suppe mit der Gabel!"
„Sei still!"
„Mutti, jetzt trinkt er aus der Blumenvase."
„Du sollst still sein."
„Aber Mutti, schau mal, jetzt beißt er in den Bierdeckel!"
„Dann gib ihm seine Brille zurück, damit endlich Ruhe ist!"

Heike, das Minimonster, hat Krach mit ihrem Bruder. „Halt die Klappe", faucht sie. „Sonst schnauf ich dich ein und nehm Rizinusöl!"

„Papi, schau dir mal das Zeugnis an!"
„Hm – ja, schämst du dich denn gar nicht?"
„Nein, Papi, das ist ja gar nicht mein Zeugnis, es ist deins. Es lag auf dem Dachboden herum!"

Voller Mitgefühl fragt Robert seinen Onkel: „Onkel, tut dir dein Ohr noch weh?"
„Mein Ohr? Warum?"
„Papi hat gesagt, er hätte dich gestern tüchtig übers Ohr gehauen!"

„Ich lasse mich überhaupt nicht gerne fotografieren. Ich sehe mir auf keinem Foto ähnlich!"
„Mensch, dann sei doch froh!"

„Papa, ich hab das Geld für die Briefmarken gar nicht gebraucht!"
„Wieso nicht? Du solltest doch die Briefmarken kaufen und auf den Brief kleben und dann den Brief einwerfen!"
„War aber gar nicht notwendig. Ich hab den Brief eingeworfen, als keiner hingesehen hat!"

„Wie viel Zucker möchtest du in den Kaffee?"
„Sieben Stück, bitte."
„Was? Sieben?"
„Ja, aber nicht umrühren. Sonst wird er zu süß!"

„Wann kommt der nächste Zug nach München?“
„Der D-Zug kommt in fünf Minuten, der Personenzug erst in zwei Stunden. Trotzdem würde ich Ihnen den Personenzug empfehlen. Der hält hier!“

„Was schenkst du deiner Schwester zum Geburtstag?“
„Eine nagelneue Füllung für ihre Luftmatratze!“

Ein kleiner Junge fährt mit seinem Fahrrad langsam vor der Straßenbahn her. Schließlich wird es dem Straßenbahnführer zu dumm und er ruft empört: „He! Du Lausebengel! Kannst du nicht vielleicht endlich von den Schienen runter!“
„Ich schon! Aber Sie nicht!“

„Heute Früh hat mich der Schaffner in der U-Bahn angesehen, als ob ich keine Fahrkarte gelöst hätte!“
„Und, was hast du gemacht?“
„Ich habe zurückgeschaut, als ob ich eine hätte!“

Mitternacht. Der Wind heult um das Schloss. Im Schein einer flackernden Kerze führt der uralte Diener einen Gast auf dessen Zimmer.
„Hat es hier in letzter Zeit merkwürdige Dinge gegeben?“, fragt der Gast ängstlich.
„In letzter Zeit? Doch! Vor zwanzig Jahren kam ein Gast wieder lebendig aus diesem Zimmer heraus!“

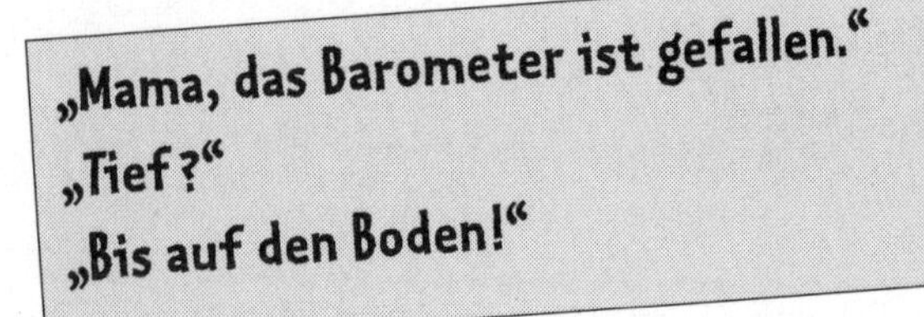

„Mama, das Barometer ist gefallen.“
„Tief?“
„Bis auf den Boden!“

„Diesen Mantel“, sagt der Verkäufer, „können Sie das ganze Jahr über tragen!“
„Ja, und im Sommer, wenn es recht heiß ist?“
„Dann tragen Sie ihn einfach über dem Arm!“

„Was glaubst du wohl, was kleinen Mädchen passiert, die ihr Essen nicht aufessen wollen?“
„Die bleiben schlank, werden später Fotomodell und verdienen einen Haufen Geld!“

„Du, sag mal, wer ist denn der da auf dem Denkmal eigentlich?“
„Keine Ahnung. Aber wenn du es wirklich wissen willst, dann musst du ihm nur die Nase rot anstreichen, dann kannst du's morgen in der Zeitung lesen!“

„Sag mal, warum hast du keine Uhr in deinem Zimmer?“
„Brauche ich nicht. Da drüben ist der Kirchturm.“
„Und nachts?“
„Nachts habe ich meine Trompete.“
„Wie? Verstehe ich nicht!“
„Hör zu: Wenn ich nachts wissen will, wie spät es ist, dann nehme ich meine Trompete und blase zum Fenster hinaus. Dann schreit bestimmt irgendwo einer: ‚Welcher Idiot bläst hier nachts um drei Trompete!‘ Und dann weiß ich, wie spät es ist.“

„Warum spielst du mit deinem Bruder nicht mehr Mensch-ärgere-dich-nicht?“
„Würdest du mit einem spielen, der ständig schummelt?“
„Nein, das würde ich nicht.“
„Siehst du, das hat mein Bruder auch gesagt.“

Das Schwesterchen hat Pilze gekocht. Es schmeckt wirklich prima.
„Woher hast du denn das Rezept?“, fragt der Bruder während des Essens.
„Aus einem tollen Buch“, sagt ganz harmlos die Schwester, „einem echt spannenden Krimi!“

Kommt ein Kunde in die Bank und sagt zum Schalterangestellten: „Sagen Sie mir meinen Kontostand, aber schnell, Sie Idiot!“
„Wa… was haben Sie gesagt?“, stottert der Schalterangestellte.
„Sagen Sie mir meinen Kontostand, aber schnell, Sie Idiot!“
„Also, das ist ja wohl eine Unverschämtheit! Das brauche ich mir wirklich nicht gefallen zu lassen, so von Ihnen bezeichnet zu werden!“, empört sich der Schalterangestellte, geht zum Direktor und beschwert sich.
Der Direktor fragt: „Wie viel Geld hat der Mann auf seinem Konto?“
„Drei Millionen.“
„Na, dann sagen Sie ihm seinen Kontostand, aber schnell, Sie Idiot!“

Drei Männer stehen vor dem Richter.
„Was haben Sie gemacht?“, fragt er den ersten.
„Ich habe den Stein in den Fluss geworfen.“
„Das ist nicht verboten“, urteilt der Richter. Also Freispruch.
„Und warum sind Sie hier?“, fragt er den zweiten.
„Weil ich dem da geholfen habe, den Stein in den Fluss zu werfen.“
„Das ist erst recht nicht verboten“, sagt der Richter. Wieder Freispruch.
„Und Sie?“, fragt er den dritten.
„Ich bin Robert Stein.“

„Findest du den Witz nicht gut?“
„Doch, doch. Als ich ihn zum ersten Mal gehört habe, bin ich fast aus dem Kinderwagen gekippt.“

Zwei Freunde im Kino: „Sitzt du auch gut?“
„Ja.“
„Siehst du auch gut?“
„Hm.“
„Ist dein Sessel bequem?“
„Und wie!“
„Wollen wir nicht tauschen?“

„Über Ihrem Laden steht: ‚An- und Verkauf'.
Was kaufen Sie?"
„Altes Gerümpel."
„Und was verkaufen Sie?"
„Wertvolle Antiquitäten!"

„Sag mal, du siehst heute so blass aus. Bist du krank?"
„Nein. Nur sauber."

„Wissen Sie, wo es zum Bahnhof geht?"
„Leider nein."
„Dann passen Sie gut auf: Sie gehen jetzt diese Straße entlang bis zur nächsten Ampel, biegen dann rechts ab, gehen bis zur Bäckerei links an der Ecke, dann links und wieder links, bis zur Reinigung, da laufen Sie vorbei und dann bis zum Supermarkt, den lassen Sie im Rücken und gehen dann …"

„Meine Mutter reitet aus Schlankheitsgründen."
„Und, hilft es?"
„Ja, das Pferd hat schon zehn Kilo abgenommen."

„Na, gefällt es dir, wenn ich dich auf meinen Knien reiten lasse?", fragt Opa stolz seinen kleinen Enkel. „Und wie!", freut sich der Kleine. „Wie ein richtiger Esel!"

„Liebe Tante, ich möchte mich für dein Weihnachtsgeschenk bedanken!"
„Aber meine liebe Kleine, das ist doch gar nicht der Rede wert!"
„Das sagt Mami auch. Aber sie meint, ich muss mich trotzdem bedanken."

Ein geiziger, reicher Geschäftsmann liegt im Sterben. Die ganze Familie ist um ihn versammelt, und er fragt mit letzter Kraft: „Ist Elfriede da?"
„Ja."
„Ist Theo da?"
„Ja."
„Ist meine Frau da?"
„Ja."
„Ist Heinrich da?"
„Ja."
Da richtet sich der Alte mit letzter Kraft auf: „Und wer ist jetzt im Geschäft?"

Es ist Herbst. Die Äpfel im Garten des Pfarrers sind reif und sehr verlockend. Vorsichtshalber hängt der Pfarrer ein Schild an den Baum: „Gott sieht alles!“
Am nächsten Tag fehlen eine ganze Menge Äpfel. Und unter das Schild hat jemand geschrieben: „Aber er verpfeift uns nicht!“

Ein Teenager zur Freundin: „Richtig geküsst hat er mich noch nicht, aber ein paarmal war meine Brille beschlagen.“

Heike und Nadja sitzen im Restaurant und lesen die Speisekarte.
Sagt Heike: „Ih, Ochsenzunge mag ich nicht. Was andere schon im Mund gehabt haben, das ist ja ekelhaft.“
Darauf Nadja: „Dann bestell dir doch ein Ei.“

„Warum sind Sie bloß Kellner geworden?“, fragt der Gast ärgerlich.
„Mein Augenarzt hat mir verordnet, Gläser zu tragen.“

Der Polizist schaut mit wachsendem Interesse einem kleinen Auto nach, das alle dreißig Sekunden einen Meter in die Höhe springt. Er fährt dem Auto nach, überholt und ruft dabei dem Fahrer zu: „He, was ist denn mit Ihrer Straßenwanze los?"
„Mit dem Wagen ist gar nichts los, nur ich habe einen Schluckauf."

Eine Showsendung im Fernsehen. Eine Quizfrage wurde richtig beantwortet.
„Bravo!", ruft der Quizmaster. „Mit dieser Antwort haben Sie eine wunderschöne Reise in den australischen Urwald gewonnen. – Und wenn Sie jetzt auch noch die zweite Frage richtig beantworten, dann gewinnen Sie auch noch die Rückreise!"

Der Pfarrer fährt freihändig mit dem Fahrrad. Ein Polizist hält ihn an: „He, Sie, freihändig fahren ist verboten, das kostet zehn Euro!"
Darauf der Pfarrer: „Junger Mann, wieso so ärgerlich? Sie wissen ja ... Gott lenkt."
Antwortet der Polizist schnippisch: „Aha, zwei Personen auf einem Rad, das macht zwanzig Euro Strafe!"

Im Restaurant an einem FKK-Strand.
„Hören Sie mal", schimpft der Gast mit dem nackten Kellner, „ich verstehe kein Wort, sprechen Sie doch etwas deutlicher!"
„Kann ich nicht", nuschelt der Kellner, „ich habe den Mund voller Wechselgeld!"

„Wissen Sie, was Sie sind?", schreit ein Mann seinen Nachbarn in der Kneipe an. „Sie sind ein Halunke, ein Verbrecher, ein Gauner und Betrüger!"
Sein Gegenüber schaut von seinem Bier hoch und erwidert: „Jetzt ist's aber genug! Hören Sie gefälligst auf mit Ihren versteckten Anspielungen!"

Gast: „Was sagen Sie zu der Fliege in meiner Suppe?"
Ober: „Was soll ich schon sagen, sie versteht mich ja doch nicht!"

Sitzen zwei Opas auf einer Parkbank.
Sagt der eine: „Ja, ja."
Darauf der andere: „Ja, ja, ja."
Kommt ein dritter Mann dazu und sagt: „Ja, ja, ja, ja."
Sagt einer der ersten beiden Männer: „Komm, lass uns gehen, der redet mir zu viel."

Dracula trifft einen alten Freund.
„Was soll das heißen, dass du jetzt unter die Vegetarier gegangen bist?"
„Nur noch Blutorangen."

Ein Mann bleibt im Zoo vor den Kängurus stehen.
„Was sind denn das für komische Tiere?", fragt er den Wärter.
„Das sind Kängurus, Einwohner Australiens", erklärt dieser.
„Du lieber Himmel! Meine Schwester hat kürzlich einen Australier geheiratet."

Ein Gast wird in einem Landgasthof von einem Huhn belästigt, das dauernd um seinen Tisch herumpickt. Genervt droht er dem Tier: „Geh fort, sonst bestell ich dich!"

Der Vorarbeiter schimpft mit Egon:
„Hugo trägt immer zwei Bretter auf einmal, du nur eines."
Darauf Egon: „Der ist doch nur zu faul, zweimal zu laufen!"

Zwei Lastwagenfahrer aus Ostfriesland kommen an eine Brückenunterführung: Durchfahrtshöhe 3,60 Meter.
Sagt der Beifahrer: „Unser Laster ist aber doch 3,80 Meter hoch."
Der Fahrer steigt aus, sieht sich um, steigt wieder ein und sagt: „Keine Polizei zu sehen, wir können ruhig durchfahren!"

Eva guckt sich mit Mama das Familienalbum an.
„Wer ist denn dieser Dünne mit der Brille?", fragt Eva.
„Dein Vater natürlich", sagt Mama.
„Aber wer ist dann der Dicke mit der Brille, der bei uns wohnt?"

Klaus und Karl wetten um zehn Euro, wer denn am besten schwindeln kann.
Karl: „Ich bin gestern auf den Flugplatz gegangen. Der Tower hat mich auf die Rollbahn eingewiesen, dann bin ich gerannt, habe abgehoben und bin eine Platzrunde geflogen."
Klaus steckt darauf die zehn Euro ein.
„He, wieso steckst du jetzt das Geld ein?", ruft Karl.
„Ich habe dich fliegen sehen."

Vierzig Galeerensklaven rudern fleißig. Kommt der Aufseher: „Heute habe ich eine gute und eine schlechte Nachricht für euch. Zuerst die gute: Ihr bekommt eine Extraportion Rum. Und jetzt die schlechte Nachricht: Nach dem Essen will der Kapitän Wasserski laufen."

Ein Matrose kreuzt auf der Bank auf und will sich Geld leihen.
„Haben Sie einen Bürgen?", fragt der Bankangestellte.
„Hab ich nich'."
„Aber Sie haben doch sicher Freunde auf Ihrem Schiff."
„Hab ich nich'."
„Ja, wieso denn nicht?"
„Bin der Schiffskoch."

Vor der großen Party bei Baron von Zitzewitz. Die Baronin: „Minna, wenn Sie heute Abend den Kalbskopf servieren, vergessen Sie nicht die Zitrone im Maul und die Petersilie in den Ohren."
„Oh, mein Gott, gnädige Frau, wie werde ich dann aussehen?"

„Mami, guck, ich habe ein echtes Gebiss!", ruft der kleine Franz.
„Lieber Himmel, wo hast du denn das her?", ruft die Mutter entsetzt.
„Von Opa."
„Na, und was hat Opa dazu gesagt?"
„Bif mir sofof mein Bebiff bieber!"

Der alte Ganove beichtet beim Gefängnispfarrer. „Ach, hätte ich nur auf mein gutes altes Mütterlein gehört, dann säße ich nicht hier hinter Gittern!"
„Reue ist der erste Schritt zur Besserung, mein Sohn", sagt der Pfarrer. „Was hat denn deine Mutter gesagt?"
„Sie sagte: Pass auf, da kommt ein Bulle. Pack die Knarre, knall ihm eins vor den Latz und mach die Fliege!"

Chef zum neuen Azubi: „Ich bin einer, der nicht viele Worte macht. Wenn ich dich brauche, schnippe ich mit den Fingern, und du kommst sofort. Ist das klar?"
„Okay", sagt der Azubi. „Ich mache auch nicht viele Worte. Wenn ich den Kopf schüttle, komme ich nicht."

„Sie können ganz beruhigt sein, Herr Schmitz“, sagt der
Chefarzt. „Die Operation geht ganz bestimmt gut aus.
Ich habe diese Operation schon über hundertmal durchgeführt!“
Schmitz strahlt. „Da bin ich aber beruhigt.“
„Nicht wahr?“, sagt der Chefarzt. „Einmal muss es ja
klappen!“

Die Heiligen Drei Könige kommen zum Stall von
Bethlehem und fallen vor dem Kind auf die Knie.
„Jesus Christus!“, rufen sie ehrfürchtig.
Da springt Josef auf und stößt Maria begeistert in die
Rippen.
„Siehst du, Jesus Christus, das ist ein vernünftiger Name.
Und nicht Friedhelm!“

Die alte Dame bringt den Gärtner mit ihrer dauernden
Fragerei zur Verzweiflung: „Und was tun Sie gegen
Raupen?“
„Gegen Raupen?“, antwortet der Gärtner. „Die bringe
ich auf das Nachbargrundstück und drehe sie so lange im
Kreis, bis ihnen schwindelig ist und sie nicht mehr
zurückfinden können.“

Heinrich Hohlbeutel erkundigt sich bei seinem Versicherungsvertreter über eine Diebstahlsversicherung für sein neues Auto.
Der Agent antwortet: „Natürlich können Sie Ihr Auto gegen Diebstahl versichern, aber nur in Verbindung mit einer Versicherung gegen Feuer!"
„Komisch", meint Heinrich da, „wie sollte jemand auf die Idee kommen, ein brennendes Auto zu stehlen?"

Wer hat den Charleston erfunden?
Eine elfköpfige Familie, die nur eine Toilette hatte.

Michaela hat sich um einen Job als Stenotypistin beworben. Natürlich will der neue Chef wissen, was Michaela kann.
„Wie viele Anschläge schaffen Sie in der Minute?", fragt er.
„Anschläge? Ich höre immer Anschläge", staunt Michaela. „Habe ich mich hier als Stenotypistin beworben oder als Terroristin?"

»Wie kannst du sagen, ich sei reich?«
»Hab nur gesagt, du hättest mehr Geld als Verstand!«

Nichts als Ärger mit den Kleinen

„Du hast schon wieder gerauft!", schimpft die Mutter mit Hannes, der mit einem blauen Auge nach Hause kommt. „Ich hab dir doch gesagt: ‚Wenn dich jemand ärgert, zähle bis fünfzig, bevor du zuschlägst.'"
„Ja, aber die Mutter des anderen hat gesagt, er solle bis dreißig zählen."

Der Lehrer trifft Frau Grümmel in der Stadt.
„Guten Tag, Frau Grümmel. Ihr Sohn hat einen ausgesprochenen Wissensdurst. Hat er das von Ihnen oder von seinem Vater?"
„Teils, teils. Das Wissen hat er von mir, den Durst von seinem Vater."

„Mami, du hast mir ja gar nicht zugehört!", schmollt Stefanie.
„Doch, doch", meint die Mutter ziemlich abwesend.
„Nein, Mami, das glaube ich nicht, sonst wärst du schon längst wütend geworden!"

„Mami, wann bin ich eigentlich geboren?"
„Am fünften Mai."
„So ein Zufall. Genau an meinem Geburtstag!"

„Papi“, fragt Sophia eines Sonntagmorgens, „bist du als Kind eigentlich auch jeden Sonntag in die Kirche gegangen?“
„Natürlich, mein Kind.“
„Siehste, Mami, es hat auch nichts genützt!“

Ellen und Marion sind große Kaninchenfreunde. Der Stall kann nicht voll genug sein. Eines Tages kommt Tante Erika wieder zu Besuch. Ellen und Marion fragen sie:
„Wie viele Kinder hast du denn, Tante?“
„Gar keine.“
„Kriegste auch keine mehr?“
„Nein, ich kriege keine mehr.“
Da flüstert Ellen Marion ins Ohr: „Du, ich glaube, die ist ein Männchen!“

Prahlt Tom: „Mein Onkel ist Pfarrer, alle reden ihn mit ‚Hochwürden‘ an.“
„Das ist noch gar nichts“, trumpft Karl auf, „mein Onkel ist Kardinal, alle sagen ‚Eminenz‘ zu ihm.“
„Und mein Onkel“, winkt Leo hochnäsig ab, „mein Onkel ist so dick, dass alle Leute, wenn er durch die Straße geht, sagen: ‚Allmächtiger!‘“

Opa kommt zu Besuch und hat eine Menge Geschenke dabei. „Wem soll ich die Trommel geben?“, fragt er. Die Mutter meint: „Gib sie dem Max. Er ist der Jüngste und macht sie am schnellsten kaputt.“

„Am Samstag hat meine Frau Geburtstag, und ich weiß noch immer nicht, was ich ihr kaufen soll!“
„Frag sie doch einfach.“
„Na, weißt du, so teuer soll es nun auch wieder nicht werden.“

„Mami“, bettelt Steffen, „ich hätte so gern einen großen Goldhamster zum Geburtstag!“
„Mal sehen“, meint die Mutter. „Was soll es denn sein, ein Männchen oder ein Weibchen?“
„Das ist mir egal. Hauptsache, er kriegt viele Junge!“

„Wer klimpert denn da so schrecklich auf dem Klavier?“, fragt der Vater.
„Das ist Katharina“, antwortet die Mutter.
„Dann sieh mal nach, was sie macht“, sagt der Vater.
„Wenn sie Staub wischt, ist es in Ordnung. Wenn sie aber spielt, dann soll sie sofort damit aufhören!“

Robert muss zu Hause oft das Geschirr abtrocknen.
„So etwas würde ich nie tun! Würde mir nicht einmal im Traum einfallen!“, sagt sein Freund Jonas, der eines Tages zufällig dazukommt.
„Mir auch nicht“, meint Robert, „aber meiner Mutter!“

Ein junges Ehepaar hat zum ersten Mal Streit. Sie reden nicht mehr miteinander, sondern teilen sich alles durch Zettel mit.
Am Abend schiebt der Mann seiner Frau einen Zettel hin, auf dem steht: „Wecke mich morgen um acht Uhr.“ Dann geht er beruhigt schlafen. Am nächsten Morgen wacht er auf und wundert sich, dass er nicht geweckt worden ist. Entsetzt stellt er fest, dass es bereits elf Uhr ist. Neben sich sieht er einen Zettel: „Aufstehen! Es ist acht Uhr!“

„Papa, wann sind die Dinosaurier eigentlich ausgestorben?“, fragt Klara ihren Vater.
„Oh, das ist schon sehr lange her, aber genau weiß ich das nicht“, antwortet dieser.
„Macht nichts. Dann frag ich eben die Mama, die ist älter als du.“

Vater ist total verzweifelt. „Wieder keine einzige Zahl richtig im Lotto!“
Töchterchen Evi tröstet ihn: „Mach dir nichts draus, Papa! Mir ging’s gestern in der Mathearbeit genauso!“

Horst kommt leicht angeheitert nach Hause und fängt sofort an zu meckern: „Das ist ja wieder ein mieses Fernsehprogramm heute.“
Meint seine Frau: „Du stehst ja auch vor dem Garderobenspiegel!“

„Florian, warum weint denn deine kleine Schwester?“
„Weil ich ihr geholfen habe!“
„Geholfen? Wobei?“
„Die Schokolade aufzuessen!“

Eines Tages gibt der Fernseher seinen Geist auf. Der Vater sieht sich im Zimmer um und meint erstaunt: „Kind, was bist du groß geworden.“

Waschmaschinenverkäufer bei der Vorführung: „Da, bitte, sehen Sie selbst, ist das nicht fantastisch weiß?“
„Schon, aber vorher war es bunt …“

„Du hast diesen Brei zu essen, und damit basta!“, schreit die Mutter erregt den kleinen Felix an.
„Zwing doch das Kind nicht!“, mischt sich der Vater ein. „Ich bin für moderne Erziehung, das Kind soll frei wählen können!“
„Dann füttere du ihn eben!“, gibt die Mutter die schöne Aufgabe gerne weiter.
„Gut, dann komm her, Felix!“, nimmt der Vater nun die Sache in die Hand. „Willst du lieber ein paar Ohrfeigen – oder isst du nun schön deinen Brei?“

„Oma hat nächste Woche Geburtstag. Was sollen wir ihr nur schenken? Sie wünscht sich etwas, was zu ihrem Gesicht passt“, sagt die Mutter.
„Ist doch ganz einfach“, meint Oliver, „dann schenk ihr doch einen Faltenrock!“

„War ganz schön schwierig“, sagt der Monteur zur Hausfrau, „aber jetzt können Sie Ihre Wäsche wieder schleudern.“
„Wäsche schleudern?“, fragt sie entsetzt. „Das war doch unser Fernseher!“

„Mutti“, sagt der kleine Paul, der schon etwas in der Zeitung lesen kann, „hier steht, dass das Theater Statisten sucht. Was ist denn das?“
„Statisten, mein Junge, sind Leute, die nur herumstehen und nichts zu sagen haben.“
„Aber Mutti, das wäre doch etwas für Papa!“

„Endlich hat Opa aufgehört, an seinen Nägeln herumzukauen, wenn er nervös ist.“
„Und wie hast du das erreicht?“
„Ich habe seine Zähne versteckt!“

„Papi, du hast ja graue Haare auf dem Kopf, aber einen schwarzen Schnurrbart!“
„Ja“, erklärt der Vater, „der Schnurrbart ist auch zwanzig Jahre jünger.“

Der Elektrotechniker findet beim Heimkommen seinen Sohn mit verbundenem Finger.
„Aber Tim, was ist denn passiert? Hast du dich geschnitten?“
„Nein, Papa, ich habe eine Biene gefangen, die an einem Ende nicht isoliert war.“

Bei der Wohnungsvermieterin. „Sind Sie verheiratet?", fragt sie den Bewerber.
„Nein!"
„Sind Sie verlobt?"
„Nein!"
„Haben Sie eine feste Freundin?"
„Nein! Aber wenn ich morgens meine Butterbrote einpacke, knistert das Papier ein bisschen. Macht das etwas aus?"

„Weshalb haben Sie denn Ihre Köchin entlassen? Genoss sie nicht mehr Ihr Vertrauen?"
„Nein, nur noch meinen Wein."

„Na, so langsam lernst du es auch!", lobt der Vater seine Tochter, als sie diesmal den Telefonhörer schon nach zehn Minuten wieder auflegt. „Wer war es denn?"
„War nur falsch verbunden!"

Frau Kleckermeier vorwurfsvoll zu ihrem Mann: „Ist es denn nötig, dass unser Kleinster so spät noch vor dem Fernseher sitzt?"
„Aber im Programm steht doch, dass es ein Galopprennen für Zweijährige ist."

Der Schotte bittet seine Braut: „Liebling, du hast so wunderbare Hände. Schwöre mir, dass du sie nie durch Ringe verhunzen wirst!“

„Sagen Sie, Frau Strumpf, geben Sie Ihren Kindern noch einen Gutenachtkuss?“
„Ja, aber nur, falls ich noch wach bin, wenn sie nach Hause kommen.“

Herr Dämlich grübelt bei seiner Heimarbeit: „Hm, schon wieder ein Stück abgesägt – und immer noch zu kurz!“

„Mein Bruder muss wirklich krank sein“, sagt Marie. „Er jammert über schreckliche Bauchschmerzen, obwohl heute gar keine Schule ist!“

„So geht das nicht weiter, Lukas“, schimpft die Mutter. „Entweder isst du jetzt leiser, oder ich muss den Fernseher lauter stellen!“

„Mein Vater isst Karpfen nur blau“, erzählt Henrike der Freundin.
„So wählerisch ist mein Vater nicht“, erklärt Lilli, „er isst sie auch, wenn er nüchtern ist.“

Leon sieht sich den Toaster an, den seine Mutter zum Geburtstag bekommen hat. Er zeigt auf den Regler und fragt: „Kann man damit einstellen, wie hoch die Brote fliegen sollen?“

Es sagte ein Mann zu seinem Nachbarn: „Wir haben übers Wochenende Hausputz gemacht. Meine Frau hat den Küchenboden gebohnert, ich habe den Wohnzimmerteppich gesaugt und unser Junge hat sein Zimmer geharkt!“

„Opa, weißt du schon, ich bekomme bald ein Brüderchen“, erklärt Tom.
„Woher willst du das denn wissen?“, fragt der erstaunt.
„Als Mutti zuletzt krank war, hab ich ein Schwesterchen bekommen. Jetzt ist Papi krank!“

Frau Mumpfel schimpft mit ihrem Gatten: „Jeden Abend gehst du aus und nie nimmst du mich mit.“
Meint Mumpfel: „Ich treib mich eben nicht gerne mit einer verheirateten Frau rum!“

Am Mittagstisch der Familie Schlapper sagt die Tochter zu ihrem Vater: „He, Alter, schmeiß die Suppe rüber!“
Empört sich der Vater: „Was erlaubst du dir, du freche Göre? Zu diesem Spülwasser noch Suppe zu sagen!“

Zwei wild aussehende Gestalten stürzen in eine Bar.
„Wasser, Wasser!“
Sagt der Wirt: „Raus! Hier gibt's nur Bier und Schnaps!“
Darauf einer der beiden: „Komm, gehen wir wieder! Soll ihm jemand anderes sagen, dass sein Dachstuhl brennt!“

Papi hält wieder einmal seine übliche Rede: „Das schönste Geburtstagsgeschenk für mich wäre, wenn du in der Schule endlich einmal bessere Noten bekommen würdest!“
„Tut mir leid, Papi“, sagt Tina, „jetzt ist es zu spät. Ich habe dir schon Hosenträger gekauft!“

„Frau Rüppel, können Sie mir Ihren Teppichklopfer für eine Stunde ausleihen?"
„Tut mir leid, Frau Schmatz, da müssen Sie schon warten, bis er aus dem Büro kommt!"

„Meine Oma darf nicht mehr auf den Fernsehturm."
„Warum nicht?"
„Sie will immer die Hubschrauber füttern."

Bäuerle macht sich nach einer ausgiebigen Zechtour auf den Heimweg. Er schwankt durch eine Allee und stößt gegen eine Laterne.
„Entschuldigen Sie, mein Herr!", lallt er, zieht seinen Hut, macht eine Verbeugung und schwankt weiter. Bald stößt er gegen eine zweite Laterne. Wieder entschuldigt er sich formell. Dieser Vorgang wiederholt sich noch sechsmal.
Schließlich bleibt er stehen und sagt: „Jetzt reicht's mir aber! Ich warte lieber, bis der Fackelzug vorbei ist!"

„Vati, wo sind eigentlich die Wespen im Winter?"
„Keine Ahnung, aber ich wäre froh, wenn sie auch im Sommer dort wären!"

Die Mutter schimpft mit Lisa: „Ich hab dir doch gesagt, du sollst aufpassen, wann die Milch überkocht!"
„Hab ich doch, Mami, es war genau um elf Uhr sechzehn!"

„Mutti, was ist ein Tischler?"
„Das ist einer, der Tische herstellt."
„Dann ist ein Bettler einer, der Betten herstellt?"

Vater und Sohn sind das erste Mal in New York. Sie fahren im Fahrstuhl eines Wolkenkratzers. Sie fahren und fahren, aber das Haus scheint kein Ende zu haben. Fragt der Junge: „Papi, weiß der liebe Gott, dass wir kommen?"

Andreas wird gefragt: „Welcher Vogel baut kein eigenes Nest?"
„Der Kuckuck."
„Richtig. Und warum baut er kein Nest?"
„Weil er in der Küchenuhr sitzt."

Bolle ist schwer erkrankt und liegt im Sterben. Der Arzt wird gerufen und stellt den Tod fest. Plötzlich richtet sich Bolle auf und ruft: „Ich bin überhaupt nicht tot!“
Darauf seine Frau: „Wirst du wohl still sein – der Doktor muss es schließlich besser wissen als du.“

Eberhardt kauft und verkauft leere Flaschen. Er klingelt bei Frau Sauer: „Haben Sie leere Weinflaschen?“
Frau Sauer, verbiestert über die morgendliche Störung, stellt wütend eine Gegenfrage: „Sehe ich etwa so aus, als ob ich Wein tränke?“
Antwortet Eberhardt mit ausgesuchter Höflichkeit: „Keineswegs, gnädige Frau, aber dann haben Sie bestimmt leere Essigflaschen.“

Es sagt der Fakir zu seiner Frau: „Es wird Zeit, dass unser Sohn nicht mehr ins Bett macht – die Nägel werden schon wieder rostig!“

Anton braucht eine neue Brille.
Der Augenarzt fragt ihn: „Kurzsichtig oder weitsichtig?“
„Durchsichtig wäre am besten, Herr Doktor!“

Zwei Babys unterhalten sich.
„Du, ich bin ein Junge!"
„Woher weißt du denn das so genau?"
„Wenn die Schwester draußen ist, zeig ich dir was!"
Die Schwester geht raus, und geheimnisvoll hebt das Baby die Bettdecke hoch: „Schau, ich hab blaue Söckchen an!"

„Mama", fragt die kleine Lea, „wenn ich groß bin, kriege ich dann auch so einen Mann wie Papa?"
Lächelt die Mutter wissend: „Wenn wir gut aufpassen, nicht."

Sebastian hat ein Barometer geschenkt bekommen. Aufmerksam betrachtet er es eine ganze Weile, dann fragt er: „Und wo dreht man, damit das Wetter besser wird?"

Mario und Clemens unterhalten sich: „Meine Mutter meint, wir stammen alle von Adam und Eva ab!"
„Glaube ich nicht", meint Clemens. „Mein Vater meint, wir stammen alle von den Affen ab!"
„Na ja", überlegt Mario, „vielleicht ist das in jeder Familie anders!"

Klein Mia ist sehr neugierig und fragt ihre Mutter: „Warum hat Tante Margarete so rot angemalte Zehen?" Antwortet die Mutter: „Damit Onkel Bert nicht drauftritt!"

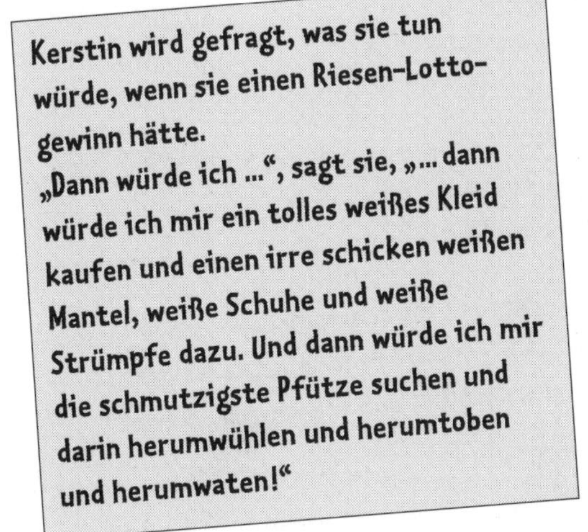
Kerstin wird gefragt, was sie tun würde, wenn sie einen Riesen-Lottogewinn hätte.
„Dann würde ich …", sagt sie, „… dann würde ich mir ein tolles weißes Kleid kaufen und einen irre schicken weißen Mantel, weiße Schuhe und weiße Strümpfe dazu. Und dann würde ich mir die schmutzigste Pfütze suchen und darin herumwühlen und herumtoben und herumwaten!"

„Jetzt weiß ich endlich, was ich dir zu Weihnachten schenke, Mami", sagt Anna. „Nämlich einen doppelten Frisierspiegel!"
„Aber Kleines, einen doppelten Frisierspiegel habe ich doch schon!"
„Gehabt, Mami. Haste gehabt!"

„Ich fühle mich wie in meiner eigenen Haut!“, ruft Leonie begeistert, als sie neue Schuhe anprobiert.
„Kein Wunder“, sagt ihr Bruder, „ist ja auch Ziegenleder.“

Siegfried und Kunigunde halten sehr viel von der antiautoritären Erziehung. Als ihr erstes Kind geboren wird, fragt der Standesbeamte: „Ist es ein Junge oder ein Mädchen?“
Erwidert Siegfried: „Darüber kann unser Kind später einmal selbst entscheiden!“

»Wer hat die Fensterscheibe eingeworfen?«
»Ich«, erklärt Paul. »Aber da ist ganz allein der Lars schuld, weil er sich geduckt hat.«

„Haben Sie nach Ihrem letzten Zwischenfall mit dem Nachbarn die Streitaxt endlich begraben?“
„Nein, aber den Nachbarn!“

Mäxchen springt ständig in die Luft.
„Aber Mäxchen, was soll denn das?“
„Ach, ich habe vergessen, die Medizin zu schütteln, bevor ich sie schluckte.“

„Bitte, bitte, schenk mir einen Nerz!“, fleht Frau Knicker ihren mit Geld und Geiz gesegneten Ehemann an.
„Mach ich!“, beschließt der Herr Gemahl. „Aber den Käfig für das Vieh musst du selber sauber machen!“

„Als Tochter hat man es heute ziemlich schwer“, seufzt Teenager Sarah. „Man muss eine Menge tun, um so jung auszusehen wie die eigene Mutter.“

Eine Frau besucht ihren Mann im Knast. Er fragt: „Wie kommst du finanziell zurecht?“
„Vorläufig ganz gut. Die nächsten drei Jahre kann ich noch von der Belohnung leben, die auf dich ausgesetzt war.“

„Finn, wo warst du so lange?“, fragt die Mutter.
„Alex und ich haben Briefträger gespielt, Mami. Wir haben die ganze Siedlung mit Post versorgt.“
„So. Aber woher hattest du die Briefe?“
„Aus deinem Nachttisch, Mami. Da lagen zwei dicke Pakete drin mit rosa Schleifchen drum herum.“

Der Mönch eilt mit dem neuesten Brief von Pater Franziskus aus Zentralafrika zum Abt.
„Der Pater klagt schon wieder über Wassermangel.“
„Aber langsam scheint es ernst zu werden, die
Briefmarke ist mit einer Stecknadel befestigt!“

Sabinchen führt sich zu Hause echt flegelhaft auf. Sagt ihr Vater, der langsam, aber sicher wütend wird: „Was würden deine Lehrer sagen, wenn du dich in der Schule so aufführen würdest?“
„Sie würden sagen: ‚Benimm dich nicht so wie zu Hause!‘“, meint Sabinchen.

„Stell dir vor, letzte Woche war mein Bruder in Paris und hat sich einen Picasso gekauft!“
„Oh, da wär ich an seiner Stelle ein wenig vorsichtiger mit ausländischen Autos!“

„Woher unser Junge wohl die Intelligenz hat?“, sinniert stolz die Mama.
„Selbstverständlich von dir!“, grinst der Vater. „Ich hab ja meine noch!“

„Hat da nicht eben jemand geklingelt?“
„Doch, ein Mann, der für ein Trinkerheim sammelt.“
„Wie viel hast du ihm gegeben?“
„Gar nichts, die sollen zu Hause saufen!“

Bestürzt rennt die Mutter ins Kinderzimmer, in dem der kleine Hannes ganz schrecklich brüllt. Auf ihre Frage, was denn los sei, antwortet Hannes: „Annchen hat mich an den Haaren gezogen!“
Die Mutter besänftigt den Sohn: „Annchen ist doch noch so klein und weiß nicht, dass das wehtut …“
Nach einer Weile gibt es wieder Geschrei. Nun brüllt Annchen. Hannes kommt triumphierend aus dem Zimmer. „Nun weiß sie, dass es wehtut!“

„Anton, komm sofort zum Abendessen!“, ruft die Mutter aus der Küche. „Aber vergiss nicht, dir die Hände zu waschen!“
„Aber wozu soll das denn gut sein?“, antwortet der Kleine ganz erstaunt. „Heute gibt es doch Schwarzbrot!“

Luis schenkt Benjamin einen Fotoapparat und sagt: „Den kannst du ruhig verlieren, er hat einen eingebauten Sucher!“

Die junge Frau des Multimillionärs kommt zu ihrem Mann in die Bibliothek gestürzt.
„Stell dir vor, Schatz“, ruft sie glückstrahlend, „unser Sohn hat gerade sein erstes Wort gesprochen!“
„Wirklich? Und was sagte er?“
„Kaviar!“

Zwei junge Mütter fahren ihre einjährigen Sprösslinge spazieren. Sie stellen fest, dass die Kinder am gleichen Tag geboren wurden.
„Meine Anne hat heute ihr erstes Wort gesprochen!“, erzählt stolz die erste Mutter.
Da richtet sich das zweite Baby auf und fragt: „Und? Was hat sie gesagt?“

„Die Geige, die du mir geschenkt hast, hat mir schon viel Geld eingebracht“, erzählt Jonas seinem Patenonkel.
„Kannst du denn so gut spielen?“
„Das nicht gerade. Aber Papa gibt mir oft einen Euro, nur damit ich aufhöre!“

Fragt ein Gast: „Herr Wirt, wieso haben Sie Ihre Gaststätte ‚Zur Eule‘ genannt?“
Antwortet der Wirt: „Haben Sie meine Frau noch nicht gesehen?“

Fragt der kleine Paul: „Mutti, hast du nicht gestern gesagt, unser Baby hat deine Nase und Papas Augen?"
„Ja, mein Sohn."
„Na, dann geh mal schnell ins Babyzimmer, denn jetzt hat es Opas Zähne!"

Herr Schneuzel kommt aufs Polizeirevier. „Ich möchte eine Vermisstenanzeige aufgeben. Meine Frau ist verschwunden!"
„Wann haben Sie sie das letzte Mal gesehen?"
„Vor zehn Jahren!"
„Und da kommen Sie erst heute?"
„Ja! Wir feiern nächste Woche silberne Hochzeit, und da hätte ich sie gerne dabeigehabt!"

„Na, wie findest du deinen neuen Papi?", fragt die frisch verheiratete Mutter ihren vierjährigen Sohn.
„Es geht", ist die kurze Antwort.
Erstaunt darauf die Mutter: „Aber er spielt doch immer so schön Pferd und Reiter mit dir?"
„Das schon", erwidert der Junior, „aber du hättest mal sehen sollen, wie er sich angestellt hat, als ich ihm Hufeisen annageln wollte!"

Alex schleppt einen kleinen Schrank.
„Wo ist denn Uli?“, fragt ihn der Vater. „Ich denke, er wollte dir helfen?“
„Macht er ja auch“, ächzt Alex, „er sitzt im Schrank und trägt die Kleiderbügel.“

Eine Kundin im Pelzhaus: „Hängen Sie mir den Persianer bitte zurück, bis mein Mann etwas Unverzeihliches tut!“

Christine kommt zum Apotheker und will Schlankheitspillen. Nach ein paar Tagen ist sie schon wieder da und verlangt dasselbe.
„Für wen sind denn diese Pillen?“, fragt der Apotheker etwas besorgt.
„Für mein Kaninchen“, erwidert Christine. „Mein Vater will es nämlich schlachten, sobald es richtig fett ist!“

„Schau, mein Armreif ist aus Elfenbein“, sagt Tina zu ihrer Freundin.
„Die armen Elfen!“, meint die Freundin.

„Kennst du den Unterschied zwischen einem glücklichen und einem unglücklichen Vater?“
„Klar! Der eine hat ein trautes Heim, und der andere traut sich nicht heim.“

Der kleine Martin ist zum ersten Mal an der See. Als er einen Dampfer sieht, zeigt er aufgeregt hin: „Schau mal, Papi, schau mal, da badet eine Lokomotive!“

Maximillian: „Papi, ich will die Oma heiraten!“
„Aber du kannst doch nicht meine Mutter heiraten!“
Maximillian: „Warum nicht? Du hast schließlich auch meine Mutter geheiratet!“

Als die Mutter ins Kinderzimmer kommt, erschrickt sie fürchterlich: „Ja, was spielt ihr denn da?“
„Wir spielen Doktor!“
„Und was macht Maria da oben auf dem Schrank?“
„Die haben wir zur Erholung ins Gebirge geschickt!“

„Aber Ben, warum schlägst du denn deinen kleinen Bruder?“, fragt die Mutter.
„Muss ich doch! Er hat die Tinte ausgetrunken und will jetzt das Löschpapier nicht essen!“

Finn sucht seinen Schlüssel am Boden. Da kommt ein Polizist vorbei und fragt ihn: „Was suchst du denn?"
Darauf Finn: „Meinen Hausschlüssel."
„Wo hast du ihn denn verloren?"
„Zu Hause im Garten."
„Wieso suchst du dann hier unter der Straßenlaterne?"
„Weil es hier heller ist!"

„Was muss man tun, damit Gott uns unsere Sünden verzeiht?", fragt Tante Rosa streng ihre Nichten.
Antwortet Susi: „Na, erst muss man wohl mal sündigen!"

Zoospaziergang am frühen Morgen. Fragt der Sohn seinen Vater: „Warum guckt der Geier denn so doof?"
„Weil noch kein Aas da ist."

Barbara hat ihre erste Suppe gekocht und ist unheimlich stolz darauf.
Nur ihr Bruder Daniel mosert: „Die Suppe ist total versalzen!"
„Ich habe gelesen", verteidigt sich Barbara, „dass der Mensch zwei Kilo Salz pro Jahr braucht!"
„Das mag ja sein, aber doch wohl nicht auf einmal, oder?"

„Papi, diesmal kriegst du von mir so viel zum Geburtstag, dass du es gar nicht auf einmal tragen kannst!“, verspricht Lisa.
Papi ist sehr gespannt. Und was bekommt er?
Zwei Krawatten!

Die Eltern sitzen mit ihrem fünfjährigen Paulchen im Biergarten. Der Vater bestellt zwei Maß Bier. Da flüstert Paulchen empört: „Ja, und die Mama? Kriegt die nix?“

„Begleitest du mich zum Bus?“, fragt Tante Frida.
„Geht nicht“, sagt Christian, „sobald du weg bist, schneidet Mami die Torte an!“

„Heute habe ich den Bus verpasst und bin die ganze Strecke zu Fuß gegangen. Da habe ich zwei Euro zwanzig gespart“, erzählt Felix zu Hause.
„Schade, dass du nicht das Taxi verpasst hast“, sagt sein kluges Schwesterlein. „Da hättest du mindestens zwanzig Euro gespart!“

„Zwanzig Jahre lang waren meine Frau und ich die glücklichsten Menschen“, gesteht Herr Knüllich seinem Freund.
„Und dann?“
„Dann sind wir uns begegnet!“

Die Familie sitzt über einem Kreuzworträtsel. Am Ende fehlt nur noch ein Himmelskörper mit fünf Buchstaben. Alle zerbrechen sich den Kopf, bis die kleine Tina begeistert ausruft: „Ich hab’s! Ein Engel!“

„Unser Nachbar hat gesagt, meine Schwester sollte eigentlich nach Wien und Klavier studieren. So begabt ist sie!“
„Wenn ich euer Nachbar wäre, würde ich das auch sagen!“

Julia fingert aufgeregt an ihrem Wollknäuel herum. Ihr Bruder Nico schaut ihr zu und grinst schadenfroh. „Du suchst wahrscheinlich das Ende“, sagt er.
„Ja.“
„Da kannst du lange suchen. Das habe ich nämlich abgeschnitten!“

Simon schaut immer zu, wenn sein kleines Brüderchen gepudert und frisch gewickelt wird. Einmal vergisst die Mutter das Pudern.
„Halt!“, ruft Simon. „Du hast vergessen, ihn zu salzen!“

„Und merk dir ein für alle Mal“, sagt der Vater zu seinem Sohn, „ich will nie mehr eine Lüge von dir hören! Ist das klar?“
„Klar!“, sagt der Sohn.
Da läutet das Telefon.
„Geh mal hin“, sagt Papa. „Und wenn es jemand für mich ist, dann sag, dass ich nicht da bin!“

„Warum hat Gott erst den Adam und dann die Eva erschaffen?“
„Er wollte erst mal üben, bevor er sein Meisterwerk anfertigte“, behauptet Susi im Brustton der Überzeugung.

„Der Arzt hat meinem Onkel geraten, das Tennisspielen aufzugeben“, erzählt David.
„Wieso, ist er krank?“
„Nein, der Arzt hat ihn spielen sehen!“

„Warum kannst du denn nicht wenigstens einmal ausnahmsweise meiner Meinung sein?“, fragt Stefan.
„Weil wir dann beide Unrecht hätten!“, antwortet seine Schwester.

„Was willst du denn mit dem Regenwurm in der Wohnung?“, fragt der Vater seinen kleinen Sohn.
„Wir haben draußen zusammen gespielt, und jetzt will ich ihm mein Zimmer zeigen!“

Tante Irmgard kommt zu Besuch und hat eine faustgroße Brosche an ihrer Brust.
„Sag mal“, fragt Mäxchen neugierig, „warum hast du den Rückstrahler vorne und nicht hinten?“

„Papilein! Bitte, bitte, schenk doch deinem Töchterlein ein paar Eurochen!“
„Aber nur, wenn du dieses kindische Gerede sein lässt. Das ist ja schrecklich!“
„Hast Recht, Alter. Rück die Kohlen raus! Aber ein bisschen plötzlich!“

Die Mutter kommt vom Einkaufen zurück und fragt ihr Söhnchen: „Ist jemand gekommen?"

„Ja."

„Wer?"

„Du."

„Nein, ich meine, ob jemand hier war?"

„Ja."

„Wer?"

„Ich."

Der Sohn fragt seinen Vater: „Was sind denn Idioten? Sind das Tiere?"

„Unsinn!", antwortet der Vater. „Das sind Menschen wie du und ich!"

„Was für eine Geschichte liest du denn da?"

„Ich weiß es nicht, Mami."

„Aber du hast sie doch sogar laut gelesen!"

„Schon, aber ich habe mir beim Lesen nicht zugehört!"

Ein Vater geht mit seinem Sohn spazieren. Plötzlich fragt er: „Gehe ich auch nicht zu schnell?"

„Nein", keucht der Sohn, „du nicht, aber ich!"

„Möchtest du nicht aufstehen?“, fragt eine energische Dame Sepp im Bus.
„Nee, nee, das kenn ich schon“, grinst Tom, „nachher setzen Sie sich auf meinen Platz!“

Zwei englische Grafen unterhalten sich. Der eine möchte seine Frau auf nicht zu auffällige Weise loswerden.
Da rät ihm der andere: „Lass sie doch einfach den Führerschein machen! Und wenn sie ihn hat, dann gib ihr deinen Rolls-Royce. Bei dem Straßenverkehr heutzutage kommt sie bestimmt nicht mehr zurück!“
Ein paar Wochen später treffen sich die Grafen wieder. Da meint der erste: „Jetzt fährt meine Frau schon drei Wochen mit dem Rolls-Royce und kommt immer wieder zurück!“
„Nun“, überlegt der andere, „der Rolls-Royce ist vielleicht nicht das Richtige. Versuche es doch mal mit einem Jaguar, der ist noch schneller!“
Beim nächsten Treffen meint der erste froh gelaunt: „Du, das mit dem Jaguar war eine prima Idee! Kaum hatte sie das Garagentor aufgemacht, da hat er sie auch schon gefressen ...!“

„Wer brüllt denn bei euch so?“
„Das sind mein Vater und mein Opa.“
„Ja, aber was haben sie denn miteinander?“
„Die machen gerade meine Matheaufgaben!“

„Mami, Mami, im Treppenhaus stehen zwei Männer und singen“, erzählt Elias aufgeregt seiner Mutter.
„Gib ihnen ein paar Cent und sag ihnen, sie sollen wieder gehen.“
„Das trau ich mich nicht, der eine ist nämlich Vati.“

„Der Storch hat dir ein Schwesterchen gebracht. Willst du es mal sehen?“
„Das Schwesterchen nicht – aber den Storch!“

Die junge Mutter geht mit ihrem fünfjährigen Sohn ins Kaufhaus.
„Wo ist bitte die Kinderabteilung?“, fragt sie am Eingang.
Da zupft sie der kleine Junge am Rock und sagt: „Bitte, Mama, sei vernünftig und kauf nicht noch eins. Die Wohnung ist schon eng genug!“

„Hast du dich etwa von deiner Braut getrennt, weil sie jetzt eine Brille tragen muss?“
„Nein, umgekehrt! Seit sie die Brille hat, will sie nichts mehr von mir wissen!“

Die Mutter schnappt sich ihre beiden Rotzbengel und sagt: „Zu meinem Geburtstag wünsche ich mir nichts anderes als zwei liebe Kinder!“
„Super!“, freut sich da der ältere. „Dann sind wir ja vier!“

Vater und Sohn gehen in den Zoo. Sie kommen zu den Elefanten. Meint der Kleine: „Papi, du hast aber geschwindelt!“
„Wieso?“
„Diese Riesentiere kann Mami unmöglich aus Mücken machen, wie du immer sagst!“

„Wo ist denn der Supermarkt?“, fragt der neu zugezogene Pfarrer Lara.
„Sag ich dir nicht.“
„Du bist aber kein liebes Mädchen, so kommst du nicht in den Himmel.“
„Und du nicht in den Supermarkt!“

Die Eltern geben eine Party. Die Kinder stecken die Köpfe zusammen flüstern: „Das müssen aber wichtige Leute sein!“
„Warum?“
„Weil Mama über Papas Witze lacht!“

„Was machst du da?“
„Ich wasche mir die Haare.“
„Aber da macht man sich doch die Haare nass!“
„In diesem Fall nicht. Auf der Flasche steht: Für trockenes Haar!“

„Zwei Ausdrücke möchte ich nie wieder hören“, schimpft die Mutter, „der eine ist ‚saudumm‘ und der andere ‚zum Kotzen!‘“
„In Ordnung, Mami, und wie heißen die beiden Ausdrücke?“

„Warum hast du denn so einen dicken Bauch?“, fragt Klein Susi ihre Tante.
„Da ist ein Baby drin.“
„Hast du das Baby gern?“
„Ja, sehr!“
„Aber warum hast du es dann aufgegessen?“

Die Mutter belehrt ihren Sohn: „Maul sagt man nicht, das ist ein hässliches Wort. Es heißt Mund!“
Nach einer Weile kommt der Kleine aus dem Garten:
„Mami, Mami, Papi hat einen Mundwurf ausgegraben!“

Der Bäckerlehrling soll auf die Torte „Alles Gute zum Geburtstag!“ schreiben. Es dauert ewig.
Da ruft der Meister: „Ist die Torte jetzt endlich fertig?“
„Nein, ich krieg das Ding nicht in die Schreibmaschine!“

„Können Sie mir bitte einen Liter Milch geben?“, sagt der Junge zum Milchmann und reicht ihm eine Kanne.
„Natürlich“, sagt dieser und füllt die Milchkanne des Jungen. „Hast du denn auch Geld mit?“
„Ja, das ist in der Kanne!“

Karl kommt in den Laden von Frau Geismeier.
„Ich möchte bitte ein Päckchen Gelatine.“
„Gern, aber man sagt Schelatine.“
„Und dann bitte noch ein Glas Gelee.“
„Natürlich, gern, aber man sagt Schelee.“
„Bin ich jetzt eigentlich bei Frau Geismeier ober bei Frau Scheismeier?“, platzt Karl nun der Kragen.

Einfach irre!
83473 51928
783473 5302
008110 38640

Wundert sich Frau Fiederles Nachbarin: „Ihr Mann ist aber dünn geworden!“
„Ja, ja, das kommt von seiner chinesischen Abmagerungskur. Seit Wochen isst er nur noch Hühnerbrühe!“
„Mit Reis?“
„Nein, mit Stäbchen!“

„Jan, wie war das mit deinem Gebrauchtwagen? Wie viel Kilometer hat er gemacht?“
„Hundertsechzig!“
„Donnerwetter! Hundertsechzig in der Stunde?“
„Nein, im Ganzen.“

Der junge Knäusel macht eine Lehre in einer Gärtnerei. Vater Knäusel erkundigt sich: „Wie sind Sie denn mit meinem Sohn zufrieden?“
„Er ist halt ein bisschen langsam. Aber jetzt haben wir die richtige Aufgabe für ihn gefunden.“
„So? Was macht er denn?“
„Er scheucht die Schnecken von den Gehwegen!“

„Sag, sind wir giftig?“, fragt eine Schlange ihre Kollegin.
„Warum willst du denn das wissen?“
„Ich hab mir soeben auf die Zunge gebissen.“

„Herr Postbote, ich habe Sie schon ganz, ganz lange nicht mehr gesehen. Wo haben Sie gesteckt?“
„Ja, wissen Sie, Frau Grümmel, ich bin die Treppe heruntergefallen und habe drei Wochen gelegen.“
„Schrecklich, schrecklich! Und da ist niemand vorbeigekommen, um Sie aufzuheben?“

„Mylord“, sagt der Butler, „Sie liegen verkehrt herum im Bett!“
„Gut, dass Sie mir das sagen, James“, antwortet der Lord. „Ich dachte schon, ich litte an Kopfweh. Und nun sind es Gott sei Dank nur die Füße.“

Ganoven-Leo ist im Gefängnis. Drei Jahre ohne Bewährung. Jetzt aber hat er Besuch. Die liebe Ehefrau ist da und flüstert: „Hast du die Feile entdeckt, die ich dir in den Kuchen gebacken habe?“
„Oh ja. Morgen werde ich operiert.“

„Ich habe mir vor einer Woche ein Schloss gekauft!“, erzählt Herr Schulze stolz dem Nachbarn.
„Donnerwetter!“, staunt der. „Wo denn?“
„In einer Eisenwarenhandlung!“

Johanna ist in der Apotheke. Sie kann sich beim besten Willen nicht mehr daran erinnern, wie die Salbe heißt, die sie kaufen sollte.
„Den Namen hab ich vergessen. Ich kann mich nur noch daran erinnern, dass sie Methylaminodimethylphenylnyrazolonapol enthält!"

In Frankfurt bauen sie einen Wolkenkratzer. Und Tom darf in schwindelerregender Höhe mitmontieren. Da kommt ein Polizist das Gerüst heraufgeklettert.
„Ein irres Tempo hat der Mann drauf!", sagt Tom.
„Wie kommst du darauf?"
„Weil mir der Hammer erst vor drei Minuten aus der Hand gefallen ist!"

Der Lehrer fragt die Kinder: „Was ist ein Sattelschlepper?"
Meldet sich Paul: „Vermutlich ein Cowboy, der sein Pferd verloren hat!"

Barbara kommt angeschnauft und ist total gestresst.
„Was war los?"
„Frühjahrsputz gehabt", stöhnt Charlotte.
„Was hast du denn alles gemacht?"
„Meine Handtasche ausgeräumt."

Paulchen und Mike haben einen Traumjob bei der Post gekriegt. Man vertraut ihnen einen Laster mit Telegrafenstangen an. Sie sollen die Stangen aufstellen und eingraben. Ende der Woche sind sie wieder zurück.
„Seid ihr fertig geworden?“, fragt der Boss.
„Leider nicht ganz“, sagt Paulchen. „Aber fast. Nur drei von den Stangen schauen noch zur Hälfte aus der Erde heraus.“

Herr Piefke hat es furchtbar eilig. „Ganz schnell eine Mausefalle bitte, ich muss den Bus unbedingt noch erwischen!“
Darauf lächelt der Verkäufer bedauernd: „Tut mir leid, so große Mausefallen führen wir nicht!“

Mitten in der Nacht bekommt Kevin solche Zahnschmerzen, dass er zum Zahnarzt muss. Der Zahnarzt fragt ihn, ob seine Eltern nicht manchmal auch in der Nacht so starke Zahnschmerzen haben, weil er die schlechten Zähne vielleicht von seinen Eltern geerbt hat.
Kevin denkt nach.
Schließlich meint er: „Ich glaube nicht. Soweit ich weiß, schlafen sie beide nicht im selben Zimmer wie ihre Zähne!“

„Alle Leute sagen, ich sei beknackt!“
„Wieso das?“
„Weil ich Spiegeleier so gerne mag.“
„Mag ich doch auch.“
„Mensch, toll. Dann komm mal zu mir und sieh dir meine Sammlung an!“

Marie trinkt zum ersten Mal in ihrem Leben Sauermilch. Erst stutzt sie, dann schüttelt sie sich und meint: „Du, Mama, ich glaube, die Kuh war noch nicht reif!“

„Franz, weißt du schon, dass der Florian ein Geschäft aufgemacht hat?“
„So? Womit denn?“
„Mit dem Brecheisen!“

Tommi hat seinem Vater aus den Ferien einen Brief geschrieben und darin um Geld gebeten. Am übernächsten Tag schon kommt die Antwort: „Lieber Tom, hier die gewünschten zehn Euro. Ich möchte dich aber darauf hinweisen, dass man zehn nur mit einer, nicht mit zwei Nullen schreibt.“

Frau Brummel unterhält sich mit der Nachbarin:
„Benutzen Sie auch diese modernen, saugfähigen Papierwindeln?“
„Nein, unser Baby bekommt nur Trockenmilch und wird dann regelmäßig abgestaubt!“

Herr Knusper ist im Kaufhaus.
„Fräulein, ich möchte ein paar Unterhosen.“
„Lange?“
„Was geht Sie das an? Ich will sie nicht mieten, sondern kaufen!“

Ein Besucher zu einem Bauernjungen: „Sag mal, wo finde ich deinen Vater?“
„Im Schweinestall. Sie erkennen ihn an seinem braunen Hut.“

„Wer ist bitte am Telefon?“
„Huber.“
„Wer bitte?“
„Na, Huber. Heinrich, Ulrich, Berta, Emil, Robert.“
„Schon gut, schon gut. Aber sagt mal, warum ruft ihr denn gleich zu fünft an?“

Nils erzählt seinem Freund: „Du, wenn ich einen Krimi lese, bin ich immer ganz gefesselt!“
Wundert sich der Freund: „Ja, stört dich das denn nicht beim Umblättern?“

Tinchen fragt die Mutter: „In welcher Stadt bist du eigentlich geboren?“
„In Nürnberg!“
„Und Papi?“
„In Augsburg.“
„Und ich?“
„In München.“
Tinchen überlegt ein bisschen. Dann meint sie: „Das ist aber ein toller Zufall, dass wir drei uns getroffen haben!“

In einer Kneipe kommen zwei Typen ins Gespräch:
„Eh, ich erzähl dir jetzt ’nen Manta-Witz.“
„Pass bloß auf, ich fahr ’nen Manta!“
„Okay, dann erzähl ich ihn ganz langsam.“

Ein junges Ehepaar kauft im Supermarkt ein.
Sie sagt: „Halte du mal das Baby und gib mir die Eier. Du lässt doch immer alles fallen.“

Atemlos hört der kleine Linus zu, als sein Onkel von den Wolkenkratzern in Amerika erzählt.
„Toll!“, meint er dann begeistert. „Da kann man ja tagelang das Geländer herunterrutschen!“

Bei einem Unfallverhütungskurs weiß der Referent zu berichten: „Gefahren für Leib und Leben gibt es jedoch schon in der eigenen Wohnung. In New York, zum Beispiel, verunglücken täglich fünf Menschen in der Badewanne.“
„Das wundert mich überhaupt nicht“, erklärt Jakob. „Fünf in einer Badewanne ist ja wohl auch ein bisschen viel!“

„Können Sie mich bitte über die Straße bringen?“, bittet die alte Dame.
„Gern, wohnen Sie denn dort drüben?“
„Nein, aber da steht mein Motorrad!“

Unternehmer Goldig trifft Unternehmer Klau und ruft: „Ach, Klau, Sie Ärmster, ich habe gehört, Ihre Fabrik ist abgebrannt!“
„Pst, erst morgen!“

„Jetzt sagen Sie mir", sagt der Chef, „wie hoch Sie sich Ihr Gehalt in meiner Firma vorstellen. Dann lachen wir beide gemeinsam recht herzlich darüber, und ich sage Ihnen meinen Vorschlag."

Angeber unter sich: „Mein Großvater hat die Dolomiten und den Großglockner gebaut."
„Das ist gar nichts, kennst du das Tote Meer? Nun, mein Großvater hat es umgebracht!"

„Wo hab ich denn, zum Teufel noch mal, meinen Bleistift?", donnert der eilige Manager.
„Hinter dem Ohr", hilft die Sekretärin.
„Hinter welchem?"

Zwei Lords treffen sich.
„Wie geht's?"
„Zeitgemäß mäßig!"
„Mir auch."
„Musste einen Teil meiner Dienerschaft entlassen."
„Und ich musste meine Schlossgespenster an eine Geisterbahn verleihen."

Sieben Uhr am Morgen. Der Boss der Texas-Bar schlummert in seinem Bett. Da rasselt das Telefon.
„Wann … wann macht die Bar auf?“, fragt einer am anderen Ende der Leitung.
„Heute Abend, du Idiot!“, brüllt der Boss und knallt den Hörer hin.
Nach einer Stunde läutet es wieder.
„W… w… wann macht die Dings, die Bar auf?“, fragt der andere wieder.
„Ja, verdammt noch mal! Heute Abend!“, brüllt der Boss, hängt ein und versucht nochmals einzuschlafen.
Gegen Mittag scheppert das Telefon schon wieder.
Diesmal kommt nur noch ein Röcheln aus der Leitung:
„Wann macht ihr auf!“
„Mann! Bist du wahnsinnig? Heute Abend! Und außerdem kommen Besoffene bei mir überhaupt nicht rein!“
„W…w… wieso r… r… rein? Ich will hier raus!“

Als Paula beim Frühstück ihr weiches Ei auszulöffeln beginnt, fließt das Eigelb über den Rand. Unzufrieden schüttelt sie den Kopf und meint: „Man sollte den Hennen einmal sagen, sie sollen die Eier nicht immer so voll machen!“

Omi kommt in die Kirche gerannt und hält ein Stück Speck in der Hand. Als sie mit dem ersten Lied anfangen, bekommt Omi einen Schreck.
„Du liebe Zeit! Jetzt habe ich das Gesangbuch ins Sauerkraut geworfen!"

Sagt ein Roboter zur Tankzapfsäule: „Nimm deinen Finger aus dem Ohr, ich will mit dir reden!"

„Wissen Sie, warum Minister so ungern mit dem Zug fahren?"
„Nein!"
„Weil die Stationsvorsteher immer rufen: Bitte zurücktreten!"

„Paul, hast du schon gehört? Die Polizei sucht einen großen, breitschultrigen blonden Mann von ungefähr fünfunddreißig Jahren, der jede Woche ein Schmuckgeschäft heimsucht!"
Paul überlegt: „Meinst du, ich soll mich bewerben?"

Jedes Haustier in der Gemeinde muss einen Ring am linken Ohr bekommen. Aufgrund einer Ordnungsbestimmung. Das ist eine Anweisung von ganz oben!
„Sauarbeit!“, stöhnt der Bürgermeister.
„Kann ich mir denken. Die vielen Rinder und Schweine ...“
„Das wäre das Wenigste gewesen“, sagt der Bürgermeister. „Aber die Bienen! Die Bienen!“

Mark hat sich ein Radio gekauft und bringt es wütend in den Laden zurück.
„So ein Mistkasten!“, schimpft er und ist stinksauer.
„Verstehe ich nicht“, sagt der Händler. „Du wolltest doch ein Gerät, das alle Sender der Welt empfangen kann.“
„Ja, schon. Aber nicht auf einmal!“

„Sag mal, warum zwinkerst du ständig mit den Augen?“
„Weißt du, ich seh immer rote und grüne Ringe vor mir.“
„Das ist ja schlimm. Dagegen musst du etwas machen!“
„Hab ich schon. Hab mir eine Brille gekauft.“
„Und?“
„Jetzt seh ich die roten und grünen Ringe viel schärfer.“

Ein Mann kommt zum Arzt und erzählt: „Herr Doktor, Herr Doktor, ich habe nachts immer denselben Traum. Immer stehe ich vor einer Tür und zieh und zieh, aber ich kriege sie nicht auf. Und da ist ein Schild!“
„Was steht denn auf dem Schild?“
„Bitte drücken.“

„Überstanden!“ Der soeben Operierte liegt wieder in seinem Zimmer und atmet auf.
„Sagen Sie das nicht zu früh!“, stänkert sein Bettnachbar. „Mich mussten sie ein zweites Mal aufschneiden, weil der Professor eine Pinzette in meinem Bauch vergessen hatte.“
In diesem Moment steckt eine Schwester ihren Kopf zur Tür herein und fragt: „Hat jemand die Brille vom Professor gesehen?“

„Wo treffen wir uns?“
„Ist mir egal.“
„Und wann soll ich kommen?“
„Ist mir auch egal.“
„Mir auch, also tschüüüss!“
„Ja, tschüss. Und sei pünktlich!“

Ein Manta-Fahrer hat einen Unfall, bei dem ihm ein Mercedes-Fahrer den Kofferraum eingedellt hat. Er ist stinksauer.
Der Mercedes-Fahrer beruhigt den aufgebrachten Manta-Fahrer und sagt zu ihm: „Pass auf, das ist doch ganz einfach. Du musst nur in deinen Auspuff blasen, und dann beult sich der Kofferraum durch den Luftdruck wieder aus."
Der Manta-Fahrer ist total happy und macht sich gleich ans Werk. Der Mercedes-Fahrer fährt grinsend davon.
Wenig später kommt ein zweiter Manta-Fahrer dazu und fragt den ersten, was er da macht.
„Ich versuch meinen Kofferraum durch Aufblasen auszubeulen, aber ich glaub, da hat mich einer verarscht."
Darauf der andere: „Naa, das geht scho'. Da musst du bloß zuerst deine Fenster hochkurbeln, sonst geht die Luft wieder hinaus."

Willi rennt in den Keller und brüllt: „Papa, Papa, du kannst den Daumen vom Loch im Wasserrohr nehmen!"
„Ist endlich der Klempner gekommen?"
„Nein, aber unser Haus brennt."

Emilia betrachtet nachdenklich ihren Vater und entdeckt an seinen Schläfen die ersten weißen Haare.
Erschrocken sagt sie: „Du, Papi, du fängst ja an zu schimmeln."

Bei der Besichtigung des Postamts sehen die Schüler auch einen Postangestellten, der ununterbrochen Briefe und Karten abstempelt. Nachdem Richard eine Weile zugesehen hat, fragt er ihn: „Ist es denn nicht furchtbar langweilig, jeden Tag nur zu stempeln?"
„Ach was – jeden Tag ein neues Datum!"

Zwei Berliner Jungen unter sich:
„Weeste, die Beene frieren mir."
„Musste halt feste loofen."
„Det nutzt nischt. Mir friert de Neese ooch, wo se doch immer looft!"

„Entschuldigung, sind Sie nicht der Schwager von Herrn Kratzfuß?"
„Nein, ich bin Herr Kratzfuß persönlich!"
„Ach, deshalb sehen Sie sich so ähnlich!"

Martha ist auf Schulausflug. Es ist eine ihrer wenigen Begegnungen mit der Natur. Als sie einen Igel entdecken, staunt sie ihn von allen Seiten gründlich an. Später findet sie unter einem Kastanienbaum die stachligen Hüllen der Kastanien. Stolz läuft sie zum Lehrer und sagt: „Schauen Sie mal, was ich gefunden habe! Lauter Igeleier!"

13. April. Der Kapitän schreibt ins Logbuch: „Der Erste Offizier heute stockbetrunken."
14. April. Der Erste Offizier revanchiert sich und schreibt ins Logbuch: „Kapitän heute wieder nüchtern."

„Jedes Mal, wenn ich Kaffee trinke, tut mir das linke Auge weh. Was soll ich dagegen tun, Papa?"
„Nimm doch mal den Löffel aus der Tasse!"

„Wie lange brauche ich noch, bis ich die Prüfung machen kann?", fragt der Fahrschüler.
„Drei", antwortet der Lehrer.
„Stunden?"
„Nein, Autos."

Kindererziehung auf Amerikanisch. Eine Mutter bringt ihren Jüngsten zur Schule.
„Mr Miller“, sagt sie zum Lehrer. „Tom ist sehr sensibel. Nehmen Sie bitte darauf Rücksicht. Wenn er einmal eine Strafe verdienen sollte, so bestrafen Sie doch seinen Nachbarn. Das wird Eindruck auf ihn machen!“

In einem heruntergekommenen Hotel des amerikanischen Mittelwestens prangte ein großes Schild: „Rauchen verboten! Denken Sie an den Brand des ‚Astoria‘!“
Ein Gast schrieb darunter: „Ausspucken verboten! Denken Sie an das Hochwasser des Mississippi!“

Isabel zu Jule: „Was stört dich eigentlich an deinem neuen Freund?“
„Er kaut an den Nägeln.“
„Na und, an den Nägeln kauen doch viele.“
„Aber nicht an den Fußnägeln!“

Der Richter fragt die Zeugin: „Wie heißen Sie?“
„Antonia Schulze.“
„Und Ihr Alter?“
„Johann Schulze.“

Zwei Fakire liegen auf ihren Nagelbrettern
und ruhen sich aus.
Fragt der eine: „Was hast du heute vor?“
„Ich muss zum Zahnarzt.“
„Du denkst immer nur ans Vergnügen!“

Ein Geizhals kommt ans Himmelstor und bittet um Einlass. Als ihn Petrus nach seinen guten Taten fragt, antwortet er: „Einmal habe ich zwei Euro verschenkt, ein anderes Mal fünfzig Cent.“
„Ist das alles?“, fragt Petrus.
Der Geizhals bejaht.
„Einen Augenblick“, meint Petrus und verschwindet. Durch die angelehnte Himmelstür hört der Geizhals eine mächtige Stimme grollen: „Gib ihm zwei Euro fünfzig und schick ihn zum Teufel.“

Gurgelnd versinkt das Schiff. Eine Hand voll verzweifelter Menschen rettet mit knapper Not das nackte Leben und erklimmt, völlig erschöpft, die letzten Meter der Steilküste.
Droben lauert ein Zollbeamter.
„Den Trick kennen wir! – Wo ist das Gepäck?“

Ein Kunde beschwert sich beim Autohändler: „Mein neuer Wagen verliert schon Wasser und Öl."
Der Händler: „Aber ich sagte Ihnen doch, dass es ein Auslaufmodell ist."

Der Gemüseverkäufer Dümmlich vom Münchner Viktualienmarkt schafft sich eine Digitalwaage an. Ein Mann kommt zu ihm an den Stand und möchte eine Gurke kaufen. Der Verkäufer wiegt die Gurke stolz auf seiner neuen Waage ab.
„Elf Euro fünfzig macht's, der Herr!"
„Wie bitte, das soll wohl ein Witz sein. Stecken Sie sich Ihre Gurke doch sonst wohin …!"
„Das geht leider nicht, da steckt schon ein Rettich für fünfzehn Euro!"

„Ich möchte etwas Aktuelles, Klares, Sauberes, ohne überflüssige Details, anregend und doch nicht aufregend", sagt ein energisch auftretender Herr zum Buchhändler.
Der antwortet: „Ich habe, was Sie brauchen. Entweder den Fahrplan der Bundesbahn oder die neueste Ausgabe des Bürgerlichen Gesetzbuches."

Die Oma, die schon sehr schwerhörig ist, spaziert mit ihrer Enkeltochter an einem Bahndamm entlang. Plötzlich saust der Expresszug vorbei und gibt gerade ein Doppelsignal, das sogar ein Murmeltier aus dem Winterschlaf gerissen hätte. Mit strahlendem Lächeln sagt darauf die Oma zu ihrer Enkeltochter: „Das ist der erste Kuckuck, den ich dieses Jahr höre."

Herr Pumpernickel erzählt seiner Frau beim Frühstück: „Heute Nacht habe ich geträumt, dass ich in einen Nagel getreten bin."
Darauf Frau Pumpernickel: „Warum schläfst du auch immer barfuß?"

Herr Brause trifft zufällig seinen Arzt auf der Straße.
„Na, Herr Brause, Sie sehen ja wieder richtig gesund aus!"
„Tja, Herr Doktor, ich habe mich ja auch genau an die Anweisungen auf der Medizinflasche gehalten, die Sie mir verschrieben haben."
„Sehen Sie!", sagt der Arzt zufrieden. „Und was stand drauf?"
„Flasche stets gut verschlossen halten!"

Julia hat Geburtstag und bekommt ein Nähkästchen geschenkt. Etwas zögernd sieht sie es durch. Aha, Nähnadeln, Schere, Faden – alles ist da, was so dazugehört. Doch Julia sucht immer noch weiter.
„Fehlt was?“, wird sie gefragt.
„Die Gebrauchsanleitung.“

Der Medizinmann Toho Bu Waha sitzt wieder einmal am Simsalabesi.
Da tippt ihm ein Weißer auf die Schulter und fragt: „Sag mal: Hast du gesehen großes silbernes Vogel mit große, große Flügel, das machen Brrrr?“
„So was ist nicht vorbeigekommen. Aber fragen Sie drüben am Airport, wo die Düsenflugzeuge landen. Vielleicht können die Ihnen weiterhelfen!“

„Nun schauen Sie sich bloß mal diesen Typ an: Lange Haare, Zigarette im Mundwinkel, ausgefranste Hosen – ist das nun ein Junge oder ein Mädchen?“
„Na, hören Sie mal, das ist meine Tochter!“
„Oh, Verzeihung, ich wusste ja nicht, dass Sie die Mutter sind.“
„Wieso Mutter? Ich bin der Vater!“

Der Angeklagte verteidigt sich mit allen Mitteln. „Zugegeben, ich kniete mitten auf der Autobahn. Aber damit ist doch noch nicht bewiesen, dass ich betrunken war!“

„Nicht unbedingt“, räumt der Richter ein, „aber wie erklären Sie es sich, dass Sie versucht haben, den Mittelstreifen aufzurollen?“

Die Mutter ist auf Erholung fort. Es gibt dennoch ein Mittagessen, denn Nele übernimmt das Kochen. So dachten sie wenigstens. Aber als sie heimkommen, gibt es nichts als eine verzweifelte Nele.

„Es gibt nichts, der Strom ist ausgefallen!“, jammert sie.

„Aber wir haben doch Gas!“

„Ja, schon. Aber der Dosenöffner ist elektrisch!“

Im Theater sucht ein Herr auf den Knien den Boden ab. Fragt jemand: „Was suchen Sie denn da?“

„Meine Karamelle!“

„Wegen einer Karamelle brauchen Sie gewiss nicht die Vorstellung zu stören!“

„Meine Zähne hängen aber daran!“

Familie Knirschmann macht Urlaub im Gebirge. Fragt der Kleine sein Schwesterchen: „Sag mal, warum gibt es hier so viele Häuser aus Holz?"
Das Schwesterchen denkt nach und meint dann: „Na, wahrscheinlich weil man alle Steine gebraucht hat, um die Berge daraus zu machen!"

„Chef, mit mir können Sie heute nicht rechnen", sagt der Lehrling am Telefon. „Ich bin schwer krank."
„Was fehlt dir denn?"
„Ich habe Schüttelfrost."
„Mensch, das passt ja prima!", ruft da der Meister. „Komm sofort rüber. Da kannste Sand sieben!"

Ein Gewitter zieht auf. Herr Kümmel hastet mit seinem Gartenschlauch durch den Garten.
Da wundert sich der Nachbar: „Warum spritzen Sie denn noch? Es wird doch gleich regnen!"
„Eben!", antwortet Kümmel atemlos. „Ich muss unbedingt noch vorher fertig werden!"

Amelie und Luisa, beide fünf Jahre alt, sitzen hinter einem Busch und sehen einem Liebespaar zu, das sich ständig küsst.
„Was die wohl machen?“, fragt Amelie.
„Was wohl!“, erklärt Luisa. „Er will ihr den Kaugummi klauen!“

Tante Olga fragt den kleinen Fritz:
„Nun, Fritz, weißt du noch, womit der Prinz Dornröschen geweckt hat?“
Fritzchen kann sich beim besten Willen nicht daran erinnern.
„Überleg doch mal! Es ist dasselbe, was dir deine Mutter jeden Morgen gibt!“
„Eine Multivitamin-Tablette!“, strahlt Fritzchen.

Ganz aufgeregt kommt der Vater zu seinem vierjährigen Sohn.
„Sebastian, du hast heute Nacht ein Schwesterchen bekommen!“
Darauf Sebastian: „Au fein, das erzählen wir gleich der Mama!“

Lilli soll den Salzstreuer nachfüllen. Ewig kommt sie nicht wieder ins Esszimmer zurück. Schließlich geht die Mutter kopfschüttelnd in die Küche und fragt: „Lilli, was machst du denn so lange?"
Lilli ist entrüstet: „Was meinst du wohl, wie schwer es ist, das Salz durch diese kleinen Löcher zu kriegen?"

Frau Grümmel ist verzweifelt. „Ich muss mich dringend neu einkleiden", klagt sie ihrem Mann. „Die ganze Nachbarschaft lacht schon über meine alten Klamotten!"
„Pack unsere Sachen zusammen", sagt Herr Grümmel. „Umziehen ist billiger!"

Ein Schotte reißt sorgfältig die Tapete von der Wand. Sein Nachbar fragt ihn: „Tapezieren Sie neu?"
„Nein, ich ziehe um!"

Auch das noch!

Zwei Pferde hacken im Keller Heizöl.
„Mach schneller“, schimpft das eine Pferd. „Bald ist Weihnachten!“
„Ist doch mir egal“, sagt das andere. „Ich geh sowieso nicht hin.“

Familie Rüppel ist auf Urlaub in einem feinen Hotel am Meer. In der Eingangshalle hängt ein Plakat mit den Essenszeiten:
Frühstück von 7 bis 11 Uhr
Mittagessen von 11 Uhr bis 15 Uhr
Kaffee von 15 Uhr bis 18 Uhr
Abendessen von 18 Uhr bis 24 Uhr
Der kleine Franzi liest das und fängt zu weinen an.
„Was ist denn los, Franzi?“, will Papa Rüppel wissen.
„Ich wäre so gern auch mal zum Strand gegangen!“, heult Franzi.

Gestern hat Brösel sein Auto in Nulpes Werkstatt gebracht. Heute kommt er und erkundigt sich.
„Zuerst die gute Nachricht“, sagt der Mechaniker. „Das Handschuhfach funktioniert einwandfrei.“

Der Mathematiklehrer ist verzweifelt: „Diese Klasse ist so schlecht, dass ich eigentlich sechzig Prozent durchfallen lassen müsste!“
Da lacht jemand in der hintersten Bank: „Haha, sechzig Prozent. So viel sind wir ja gar nicht.“

Pause im großen Konzert. Dem berühmten Dirigenten wird ein Zettel gebracht. Darauf steht: „Ich will ja niemanden verpetzen. Ich möchte Sie nur darauf aufmerksam machen, dass der Mann mit der Pauke nur dann mitspielt, wenn Sie ihn scharf angucken!“

Frau Blaschke kann in der Nacht einfach nicht schlafen. Der Arzt verschreibt ihr Tropfen: „Davon nehmen Sie vor dem Schlafengehen einen Teelöffel voll, legen sich hin, und dann zählen Sie bis zum Einschlafen.“
Am nächsten Tag fragt der Arzt: „Na, wie lange haben Sie gestern gezählt, Frau Blaschke?“
„Bis einundfünfzigtausenddreihundertsiebenundzwanzig.“
„Was! Und dann sind Sie erst eingeschlafen?“
„Nein“, sagt Frau Blaschke. „Dann hat der Wecker geklingelt.“

Knösel geht zur Wahrsagerin.
„Die Antworten auf zwei Fragen kosten fünfzig Euro“, sagt die Wahrsagerin.
Knösel zahlt brummend und sagt: „Finden Sie nicht, dass das reichlich teuer ist?“
„Doch, finde ich auch“, sagt sie. „Und was war Ihre zweite Frage?“

Herr Schöpple hat etwas über den Durst getrunken. Er steht vor einer Straßenlaterne und versucht sie mit seinem Schlüssel aufzusperren.
Kommt jemand vorbei und meint: „Daraus wird wohl nichts. Da wohnt keiner!“
„Natürlich wohnt da wer!“, sagt Schöpple. „Sehen Sie nicht, dass im ersten Stock Licht brennt?“

Ein Löwenbändiger bewirbt sich beim Zirkusdirektor um eine Anstellung im Zirkus Brimbori.
„Ich bin die Sensation des Jahrhunderts!“, ruft der Dompteur. „Ich springe dem Löwen auf den Bauch, reiße ihm mit bloßen Händen den Rachen auf, stecke meinen Kopf hinein und singe ‚Schwarzbraun ist die Haselnuss‘.“
Der Zirkusdirektor winkt ab: „Ich bitte Sie, wer will denn heute noch diese blöden Volkslieder hören.“

In der Kunstausstellung stellt ein Bildhauer seine neueste Statue vor. Herr Brösel bleibt bewundernd stehen.
„Meister, wie haben Sie diese herrliche Frauengestalt nur geschaffen?“
„Nun“, sagt der Bildhauer, „ich habe sie aus einem Marmorblock gehauen.“
„Aha“, sagt Brösel. „Und woher haben Sie gewusst, dass sie drinnen war?“

„Aber Paul, deine schöne weiße Hose ist ja ganz braun. Wie konnte das passieren?“
„Ganz einfach“, sagt Paul. „Ich bin ausgerutscht und ins Gras gefallen.“
„Aber Paul, Gras ist doch grün!“
„Nicht, wenn es vorher die Kuh gefressen hat.“

Zittrig sitzt Opa Melle beim Arzt.
„Na, Herr Melle, Sie sehen heute aber wieder schwach aus. Hat Ihnen denn das Stärkungsmittel nicht geholfen, das ich Ihnen gestern mitgegeben habe?“
„Nein“, sagt Opa Melle. „Ich hab die Flasche nicht aufbekommen.“

Frau Reinbiss ist den ganzen Tag durch das Germanische Nationalmuseum gewandert. Jetzt wirft sie sich erschöpft in einen großen Sessel.
Ein Museumswärter stürzt herbei und ruft: „Da darf sich niemand draufsetzen. Das ist der Stuhl des sächsischen Kurfürsten Wunibald!"
Frau Reinbiss rührt sich nicht. „Was regen Sie sich denn auf? Wenn der Kerl kommt, dann stehe ich halt wieder auf."

Fritzchen sitzt vor seiner Suppe und rührt und rührt und rührt.
„Jetzt iss endlich deine Suppe auf!", ruft Mutter. „In Russland wären die Kinder froh, wenn sie nur halb so viel hätten!"
„Ich wäre auch froh", mault Fritzchen.

Herr Poldinger rast mit seinem Auto nach Hause. Die Polizei stoppt ihn.
„Sie sind viel zu schnell gefahren!", sagt der Polizist.
„Jetzt verstehe ich", sagt Herr Poldinger. „Deshalb hatte ich das Gefühl, dass alles so schnell an mir vorbeisaust. Und ich dachte schon, das kommt vom vielen Schnaps."

Der Schotte McGregor kommt in den Himmel. Und er staunt: Alles ist so groß und weit und grenzenlos.
„Tja“, sagt Petrus, „wir hier oben denken in ganz anderen Maßstäben als ihr Erdenwürmer. Für uns ist eine Million Jahre wie ein Augenblick, und eine Million Euro sind wie ein Cent.“
McGregor ist begeistert. „Wunderbar!“, ruft er. „Wenn das so ist, dann können Sie mir doch sicher einen Cent schenken!“
„Gewiss“, schmunzelt Petrus. „Ich komme gleich wieder. Dauert nur einen Augenblick.“

Oma Meislinger hat Schmerzen im Knie. Sie geht zum Arzt. Der verschreibt ihr eine Salbe zum Einreiben und verbietet ihr für drei Monate das Treppensteigen.
Nach drei Monaten ist die alte Dame wieder beim Arzt; die Schmerzen sind weg.
„Sie sind wieder gesund“, sagt der Arzt.
„Heißt das, dass ich wieder Treppen steigen darf?“
„Natürlich“, meint der Doktor.
„Da bin ich aber froh“, seufzt Oma Meislinger. „Wissen Sie, Herr Doktor, das war ganz schön anstrengend: Immer den Blitzableiter hoch und zum Fenster reinklettern!“

Der Schotte McPenny will mit der Straßenbahn fahren.
„Was kostet eine Fahrt zum Bahnhof?“, fragt er den Fahrer.
„Zwei Euro!“
„Noch zu teuer“, sagt McPenny und läuft neben der Straßenbahn her. Nach fünf Stationen ist er außer Atem und fragt den Schaffner: „Was kostet es jetzt zum Bahnhof?“
„Zwei Euro fünfzig“, sagt der Fahrer.
„Nicht möglich!“, keucht McPenny.
„Doch“, sagt der Fahrer. „Wir fahren in die andere Richtung.“

Herr Stöpsel kommt wieder einmal betrunken nach Hause.
„Wo warst du denn schon wieder?“, ärgert sich Frau Stöpsel.
„Ich war mit einem Freund etwas kaufen!“
„Etwas kaufen?“, wundert sich Frau Stöpsel.
„Konderbar, konderbar.“
Herr Stöpsel versteht nicht. „Warum sagst du konderbar?“
„Na, du sagst ja auch kaufen!“

Heiner steht an der Bushaltestelle und wartet.
Ein Bus kommt – voll besetzt. Heiner wartet.
Der nächste kommt – wieder kein Platz. Der nächste und
der übernächste Bus – alle gerammelt voll. Schließlich
hält wieder ein Bus – diesmal halb leer.
Die Tür geht auf und der Fahrer ruft: „Na, wollen Sie
nicht einsteigen?“
„Nein“, sagt Heiner beleidigt. „Diesmal will ich nicht!“

Daniel und Fabian stehen vor dem Giraffengehege im
Tiergarten. Daniel denkt tief nach und fragt: „Glaubst
du, dass sich die Giraffen auch erkälten, wenn sie sich
nasse Füße holen?“
„Ich glaube schon“, sagt Fabian. „Aber den Schnupfen
bekommen sie erst ein paar Tage später.“

Baron von Zitzewitz war immer schon ziemlich schwerhörig. Als er nach Hause kommt, hilft ihm sein Diener
Johann aus dem Mantel und murmelt: „Na, du alte
taube Nuss, wieder in der Bar gehockt und Sekt
gesoffen?“
„Nein, Johann“, erwidert Baron von Zitzewitz. „In der
Stadt gewesen und Hörgerät gekauft.“

Ein Engländer, ein Franzose und ein Bayer unterhalten sich. Jeder behauptet, seine Sprache sei am schwierigsten. „Wir schreiben ‚Cambridge'", sagt der Engländer, „und sagen ‚Kämbridsch.'"
„Wir schreiben ‚Bordeaux'", sagt der Franzose, „und sagen ‚Bordoh!'"
„Wir schreiben ‚Bitte um Verzeihung, was hatten Sie eben gesagt?'", sagt der Bayer. „Aber sagen tun wir ‚Hä?'"

„Haben Sie denn keine runden Brühwürfel?", will Heiner im Supermarkt wissen. „Die eckigen lassen sich so schlecht schlucken!"

Maus und Elefant gehen spazieren. Plötzlich sieht die Maus eine Mausefalle. Sie packt den Elefanten, zerrt ihn zur Seite und kreischt: „Pass bloß auf, Lebensgefahr!"

„Verzeihen Sie", sagt der Tourist am Kiosk.
„Ich suche eine Ansichtskarte mit einer Wurst drauf."
„Haben wir nicht. Aber wem wollen Sie denn so etwas schicken?"
„Meinem Hund!"

Am Fließband wird ein neuer Mann eingearbeitet.
„Na, wie macht sich der Neue?“, fragt der Chef den Vorarbeiter.
„Nicht schlecht. Aber langsam geht er mir auf die Nerven mit seinem ewigen: Hallo, da kommt ja schon wieder so ’n Dings …“

Der geizige Schotte McPherson hat seinem Sohn neue Schuhe gekauft.
„So“, sagt er. „Und jetzt mach immer schön große Schritte.“

Der Feriengast beschwert sich beim Hotelportier: „Im Prospekt steht: Kilometerweit freie Sicht. Und was sehen wir, wenn wir zum Fenster hinausschauen? Hinterhof und Parkplatz.“
„Ja, nach oben müssen Sie schauen, nach oben!“

Internationales Motorradrennen. Der Startschuss ertönt. Alle Motorräder donnern davon. Nur ein Fahrer bleibt zurück.
„Warum fahren Sie denn nicht weg?“, fragt der Starter.
„Weil Sie mir in den Reifen geschossen haben!“

Zwei Indianer sehen fern. Der Ansager kündigt die 77. Folge der Western-Serie „Hinter den blauen Bergen“ an. „Vergiss es“, sagt der eine Indianer. „Schalt aus, wir verlieren sowieso wieder!“

Frau Mehlmann hat sich einen Papagei gekauft. Zu Hause übt sie mit ihm.
„Hallo … sag schön Hallo … Hallo … Hallo.“
Eine Weile hört der Papagei geduldig zu. Dann krächzt er: „Besetzt!“

Alaska-Jim und Texas-Bill unterhalten sich.
„Bei uns in Alaska“, sagt Jim, „ist es so kalt, dass wir unter den Kühen Feuer anmachen müssen, damit die Milch im Euter auftaut!“
„Das ist noch gar nichts“, erwidert Bill. „Bei uns in Texas ist es so heiß, dass wir den Hühnern Eiswürfel ins Futter mischen müssen, damit sie keine hart gekochten Eier legen!“

Jetzt kommt's raus!

Knacker-Edi und Brechhammer-Joe sitzen in der Bar. „Lass uns aufbrechen“, sagt Edi nach einer Weile. „Okay“, erwidert Joe. „Hast du auch schon eine Idee, was?“

Alexander betritt die Disco und spielt lässig mit einem Autoschlüssel, auf dem ein berühmter Stern glänzt. Da raunt ihm jemand ins Ohr: „Mensch, zumindest solltest du deine Fahrradklammern von den Hosenbeinen nehmen!“

Am Informationsschalter eines Warenhauses bittet ein kleiner Dreikäsehoch: „Wenn eine blonde hysterische Frau kommt und klagt, sie habe ihr Kind verloren, dann sagen Sie ihr doch bitte, dass ich in der Elektronikabteilung bei den Videospielen bin.“

Ein Mann steigt in einen Bus und bemerkt dabei, dass die Uhr am Rathaus 11.30 zeigt. Ein paar Straßen weiter sieht er auf einer anderen Uhr, dass es erst 11.15 ist. „Mein Gott!“, ruft er verzweifelt aus. „Ich fahre ja in die falsche Richtung!“

Herr Müntzel fühlt sich in letzter Zeit nicht besonders wohl. Er sucht einen Arzt auf. Als dieser mit der Untersuchung fertig ist, rät er: „Sie sollten täglich eine halbe Stunde spazieren gehen!“
„Vor oder nach der Arbeit?“
„Was sind Sie denn von Beruf?“
„Briefträger!“

Herr Grummel erzählt seinem Freund: „Stell dir vor, was passiert ist: Heute Nacht habe ich geträumt, ich sei ein Pferd und fräße einen ganzen Berg Heu. Und als ich heute Morgen aufwachte, war die Matratze weg!“

„Sag mal, Edi“, fragt die junge Ehefrau. „Was ist eigentlich dein Lieblingsgericht?“
„Mein Lieblingsgericht?“, knurrt Knacker-Edi. „Keines! Bisher hat mich noch kein einziges freigesprochen!“

Der Besucher wundert sich und fragt einen Einheimischen: „Sagen Sie, warum heißt diese Straße ‚Waldweg‘? Hier ist doch gar kein Wald!“
„Eben, deshalb heißt sie so: weil der Wald weg ist!“

Kommt eine Kundin in den Laden. „Ich würde gerne das Kleid da im Schaufenster anprobieren!“
Die Verkäuferin: „Wie Sie wünschen. Aber wir haben auch Kabinen!“

Ratlos fragt der junge Ehemann: „Wie soll ich denn die Würstchen zubereiten?“
„Ganz einfach kochen, wie damals den Fisch“, rät seine Frau.
Als das Gericht fertig ist, stellt der junge Mann enttäuscht fest: „Viel ist ja nicht mehr dran, wenn man sie ausgenommen hat!“

„Sind diese Blumen künstlich?“
„Natürlich.“
„Natürlich?“
„Nein, künstlich.“
„Ja, was denn nun: künstlich oder natürlich?“
„Natürlich künstlich!“

Herr Knirps wird gefragt: „Und wo waren Sie dieses Jahr im Urlaub?“
„Keine Ahnung, die Filme sind noch nicht entwickelt!“

„Mit dieser Medizin können Sie die ganze Nacht durchschlafen", erklärt der Arzt seiner Patientin.
„Sehr gut. Und wie oft muss ich sie nehmen?"
„Etwa alle zwei Stunden."

„Welches Datum haben wir heute?"
„Weiß ich nicht. Aber schau doch in die Zeitung, die da auf dem Tisch liegt."
„Nützt nichts, die ist von gestern!"

Ein Mann hat eine alte Standuhr gekauft und schleppt sie mit Müh und Not nach Hause. Unterwegs stößt er mit einem Herrn zusammen.
„Mann", sagt er ärgerlich, „können Sie nicht aufpassen!
Sie sehen doch, wie schwer ich schleppe!"
„Na und?", entgegnet der andere. „Können Sie nicht auch eine Armbanduhr tragen wie alle anderen?"

Der Anwalt fragt seinen Klienten: „Ganz im Vertrauen – haben Sie den Bankraub begangen oder nicht?"
„Nein, Herr Anwalt, wirklich nicht!"
„Hm. Ja, sagen Sie mal, wovon wollen Sie mich dann eigentlich bezahlen?"

Der Wagen, der an die Tankstelle kommt, ist ziemlich zerbeult.
„Waschen, bitte!", verlangt der Besitzer.
Fragt der Tankwart: „Bügeln auch?"

Vor dem Schloss steht ein riesiger Löwe aus Marmor. Eines Tages fragt ein Tourist einen Fremdenführer: „Sagen Sie, wie oft wird denn der gefüttert?"
„Sooft er brüllt!"

Zwei Rühreier treffen sich in der Pfanne. Fragt das eine: „Na, wie geht's dir?" Darauf das andere: „Ach, ich bin schrecklich durcheinander!"

Der Richter versucht zwischen dem Beklagten und dem Kläger zu vermitteln. Er fragt den Kläger: „Glauben Sie denn nicht, dass der Angeklagte den Ausdruck Rindvieh nur in plötzlicher Erregung gebraucht hat?"
„Nein, das glaube ich nicht. Er hat mich vorher lange und prüfend angesehen!"

Wochenlang ist der Himmel strahlend blau. Die Engel gehen zu Petrus und fragen ihn nach den Wetteraussichten.
„Wolkig", sagt Petrus.
Darauf die Engel: „Gott sei Dank, dann können wir uns endlich wieder mal hinsetzen!"

Die kleine Tina besucht ihre Tante, die auf dem Land einen Garten und ein paar Hühner hat. Das Mädchen betrachtet aufmerksam die Beine der Tiere und fragt dann: „Sag mal, Tante, sind die Hühner, die Ringe an den Beinen haben, verheiratet?"

„Essen Sie gerne Wild?", fragt der Ober. Der Gast antwortet: „Nein, lieber ruhig, gesittet und unauffällig!"

Freundlich erkundigt sich der Gast beim Ober: „Sagen Sie, haben Sie noch diesen Wein, den Sie mir letzte Woche empfohlen haben?"
Der Kellner nickt zustimmend.
Daraufhin der Gast: „Dann bringen Sie mir doch bitte ein Bier!"

Nach der Besichtigung der Kirche fragt der Fremde zweifelnd den Pastor: „Sagen Sie, ist denn die Kirche nicht viel zu klein für die Gemeinde?“
Da entgegnet der Pastor schmunzelnd: „Wenn sie alle reingehen, dann gehen sie nicht alle rein; wenn sie nicht alle reingehen, dann gehen sie alle rein; sie gehen aber nicht alle rein. Also gehen sie alle rein!“

„Gestern war ich beim Zahnarzt.“
„Und? Tut der Zahn noch weh?“
„Weiß ich nicht. Er hat ihn behalten.“

Die Verkäuferin warnt den Kunden: „Die neuen Schuhe werden in den nächsten Tagen noch ein bisschen drücken!“
Meint der Kunde: „Macht nichts, ich trage sie erst nächste Woche.“

Ein Polizist hält einen Autofahrer an: „Ihr Wagen ist völlig überladen. Ich muss Ihnen leider den Führerschein abnehmen!“
„Aber das ist doch lächerlich“, sagt der Autofahrer. „So ein Führerschein wiegt höchstens fünfzig Gramm!“

„Guck mal, Mami, da steht eine Woge!"
„Aber Kind, es heißt nicht Woge, sondern Waage!"
„Darf ich mich mal wagen?"
„Das heißt nicht wagen, sondern wiegen."
„So, Mami, jetzt habe ich mich gewiegt!"
„Es heißt nicht gewiegt, sondern gewogen!"
„Siehste, Mami, also ist es doch 'ne Woge!"

Treffen sich zwei Manta-Fahrer:
„Ey, ich hab mir jetzt einen Duden gekauft!"
„Super, ey, hast ihn schon eingebaut?"

„Die Fehler der anderen haben meinen Onkel reich gemacht!"
„So? Wie ist denn das gegangen?"
„Er ist Radiergummifabrikant!"

Der Tanzlehrer zum Schüler: „Es gibt zwei Dinge, die Sie daran hindern, ein wirklich guter Tänzer zu werden!"
„Nämlich?"
„Ihre beiden Füße!"

Ein Mann kommt zum Zahnarzt und klettert zitternd in den Behandlungsstuhl. Man merkt, dass er sich ganz und gar nicht wohlfühlt.
„Aber ich bitte Sie", tröstet ihn der Zahnarzt, „Sie brauchen wirklich keine Angst zu haben. Es tut bestimmt nicht weh!"
„Machen Sie keine dummen Witze", knurrt der Patient, „ich bin selbst Zahnarzt!"

**Auf der Stadtverwaltung: „Wollen Sie Ihren Ausweis verlängern lassen?"
„Nein danke, ich finde das Format ganz praktisch!"**

Ein Mann klettert an einer geöffneten Bahnschranke hoch.
Der Schrankenwärter sieht ihn und brüllt:
„Was machen Sie denn da?"
„Ich messe die Schranke aus!"
„Hätten Sie halt was gesagt, dann hätte ich die Schranke heruntergelassen."
„Das nützt ja nichts. Ich brauche die Höhe, nicht die Breite!"

Ein amerikanischer Junge erzählt seinen Freunden: „Bei uns in Amerika zeigt die Uhr immer eine spätere Zeit an als bei euch in Europa."
„Das glaube ich", meint einer dazu, „Amerika ist ja auch viel später entdeckt worden."

Ein Bankräuber kommt in eine Bank und ruft: „Das ist ein Überfall!"
Niemand beachtet ihn. Da läuft er zum Geldschalter und ruft noch einmal: „Das ist ein Überfall!"
In aller Ruhe antwortet der Kassierer: „Vor einer Wasserpistole haben wir keine Angst!"
Darauf der Bankräuber: „Es ist aber Wasser aus dem Rhein darin!"
Darauf der Kassierer: „Hilfe! Hilfe!"

Die Linienmaschine ist unterwegs von Paris nach Helsinki. Da stürmt ein maskierter Typ ins Cockpit und brüllt: „Sofort Kursänderung! Unser Ziel ist jetzt Kairo! Ich habe eine Pistole da!"
Der Pilot grinst. „Da sind Sie zu spät dran, Mister. Vor fünf Minuten war ein Fräulein mit einer Bombe da, die hat Havanna bestellt!"

„Herr Richter“, sagt der Angeklagte mit dem Ausdruck größter Ehrlichkeit, „ich bin unschuldig!“
„Jaja, das sagen alle“, winkt der Richter ab.
„Aber wenn alle sagen, dass ich unschuldig bin, dann wird es doch auch stimmen!“

Sagt der Zahnarzt zum Patienten: „So weit brauchen Sie den Mund nun auch wieder nicht aufzureißen.“
„Aber ich denke, Sie brauchen viel Platz für Ihre Instrumente?“
„Das schon, aber ich selbst bleibe ja draußen.“

Der Angeklagte muss sich vor Gericht verteidigen. Der Richter fragt ihn: „Angeklagter, jetzt berichten Sie mal, wie es zu dem Uhrendiebstahl gekommen ist!“
„Also, wie ich so vor mich hin ging, sah ich im Schaufenster eine Uhr, die auch ging. Und da dachte ich mir, eigentlich könnten wir doch zusammen weitergehen!“

Ein Mann kommt in ein Fotostudio: „Machen Sie bitte ein Gruppenbild von mir.“
„In Ordnung“, sagt der Fotograf, „stellen Sie sich bitte im Halbkreis auf.“

Nachts um drei Uhr bemerkt Arzt Schmettermich einen Wasserrohrbruch bei sich zu Hause. Er ruft sofort den Klempner Wasserlauf an, der sich schlaftrunken meldet und schimpft, dass er um diese Zeit nicht aufstehen würde. Doch Schmettermich kann ihn davon überzeugen, dass er als Arzt schließlich auch aufstehen müsste, wenn er plötzlich krank werden würde.
So macht sich Klempner Wasserlauf nachts auf den Weg, steigt beim Arzt in den Keller und sieht, dass dieser schon halb unter Wasser steht. Er holt zwei Dichtungsringe aus seiner Tasche und wirft sie locker aus dem Handgelenk ins Wasser hinunter, dreht sich zum Arzt und sagt: „Wenn's bis morgen Früh nicht besser ist, können Sie mich ja noch mal anrufen."

Der Richter: „Sagen Sie mir bitte Ihren Geburtstag."
Der Angeklagte: „Am 14. August."
Darauf der Richter: „Welches Jahr?"
„Jedes Jahr, Herr Richter!"

„Seit wann trägst du denn eine Brille?"
„Seit ich eine Fliege totschlagen wollte."
„Hast du sie nicht getroffen?"
„Doch, aber sie war ein Nagel!"